P9-CMF-448

GEORGE SAND

From a portrait drawn from life and engraved by Calamatta

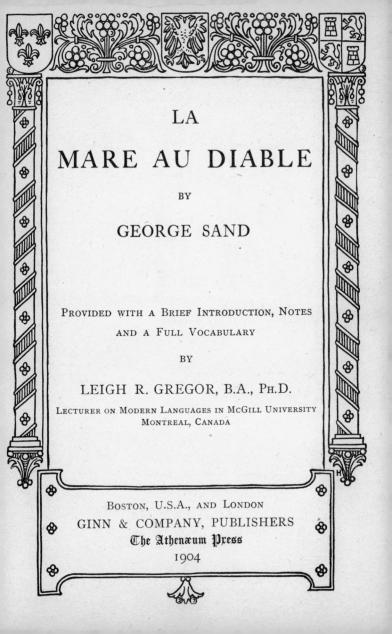

LA
MARE AU DIABLE

BY

GEORGE SAND

Provided with a Brief Introduction, Notes
and a Full Vocabulary

BY

LEIGH R. GREGOR, B.A., Ph.D.

Lecturer on Modern Languages in McGill University
Montreal, Canada

Boston, U.S.A., and London
GINN & COMPANY, PUBLISHERS
The Athenæum Press
1904

DEDICATED TO THOSE TEACHERS OF
MODERN LANGUAGES WHO HOLD
WITH THE "COMMITTEE OF TWELVE"
THAT "SLOVENLY, INCORRECT, AND
UNIDIOMATIC TRANSLATION IS
WORSE THAN A WASTE OF TIME"

PREFACE

THE *Mare au Diable*, according to Sainte-Beuve, Roche-blave, Faguet, Caro, and a host of others, is a masterpiece. Sooner or later it should find a place on all school and college programmes.

Philological notes have been given on a few words the unusual form of which seemed to call for explanation. They are intended mainly for college students; for the sake of convenience they have been put by themselves at the foot of the page.

A number of lines have been translated, especially in the first half of the text, in order (1) to encourage pupils to take pains with the form of their translation, (2) to impress on their minds the fact that a sentence is not a series of unconnected units, but a living organism in which the meaning of each word depends on its relation to all the others. Colloquial French is rendered by colloquial English. " Little fishes," to use Goldsmith's phrase about Johnson's style, are not made to "talk like whales." Lapses from the successful applica-tion of this principle will be more readily pardoned when it is remembered that George Sand herself, although in the main admirably skillful in reproducing the style and atmos-phere of the French peasant, occasionally makes him talk like a man of letters. In order to give plenty of opportunity for genuine class discussion, for gradual approximation and shading up to the best rendering (there *is* a best rendering, according to Lowell, and only one), translation in the second half of the text has been kept down to a minimum.

In accordance with the usual practice of editors of school editions, a few unsuitable lines have been omitted from the text.

I wish to express my obligations to former editors of the *Mare au Diable*. Teachers who wish to give fuller and more varied notes on the life and works of George Sand than are contained in this edition will find it profitable to read E. Caro, *George Sand* (in the *Grands Écrivains Français* series); É. Faguet, *Études sur le XIX*e *siècle;* Henry James, *French Poets and Novelists;* S. Rocheblave, *Pages Choisies des Grands Écrivains: George Sand;* W. Karénine, *La Vie et les Œuvres de George Sand;* Bertha Thomas, *George Sand* (*Famous Women* series).

LEIGH R. GREGOR.

JULY, 1903.

CONTENTS

INTRODUCTION

AMANDINE LUCILE AURORE, Baroness of Dudevant, *née* Dupin, is much better known by her *nom de plume* of George Sand. Her descent was picturesque; she herself found it so interesting that she devoted more than a volume of her *Histoire de ma vie* to an account of it. Her father was one of Napoleon's dashing officers; in the train of Prince Murat · he gave his wife and little four-year-old daughter, the future authoress, a glimpse of Spanish palaces during the campaign of 1808. His name, Maurice Dupin, and his father's family were *bourgeois*, but he was a lineal descendant of Augustus II of Poland through Maurice of Saxony, the hero of Fontenoy. He married the daughter of a Paris bird-fancier, called Delaborde. This blending of royal and plebeian stock had come about only after an almost unique succession of irregularities. From her father and her father's ancestors George Sand inherited a fondness for letters and a disposition to ignore social conventions. On both sides of her family her forbears were healthy and healthy-minded. There was not a morbid fiber in them. One might confidently have predicted for George Sand a life of storm and stress with a calm ending.

George Sand's childhood was spent in a vain endeavor to "bestraddle," as she said herself, two opposite social classes. She was torn by the jealousies of her plebeian mother and her aristocratic grandmother. The latter, in order to make sure of the child's heart, went so far as to reveal to her a questionable feature of her mother's character. This indiscretion had consequences quite different from those which the grandmother expected, for in all her dealings and throughout her checkered life George Sand was *noble*. The acquisition of the superficial accomplishments of a well-bred young woman was repugnant to her. Her three years of convent life included a passionate religious crisis, but in subsequent years the hall-mark of the convent was imperceptible. On returning home she read widely : — Chateaubriand, Shakespeare, Byron, Leibnitz, and Rousseau. Rousseau emancipated her from Catholicism, so that we must add her name to the great list of his intellectual children. She was married at sixteen to the Baron de Dudevant, a man who gave her nothing but dislike and bad treatment in return for her loyal devotion to her duties as wife and mother. At a certain stage in her conjugal unhappiness she left him. She came to Paris to earn her living and be free. After one or two false steps — she tried painting, for which she had some aptitude, and journalism, for which she had too little alertness of style and too much imagination — she found her vein in novel-writing. *Indiana* (1832) made her famous. *Valentine* (1832), *Lélia* (1833), *Jacques* (1834), gave her at once a place beside Victor Hugo, the elder Dumas, A. de Musset, and Balzac. For more than forty years she continued to write novels. She produced uninterruptedly, working usually by night from ten to five o'clock. Her punctuality in keeping engagements for copy was, said Buloz, the editor of the *Revue des deux Mondes*, like a notary's.[1]

It was natural that a person who had been cheated out of love in her own home should hold extreme views on the place of love in society. She writes of it as if it were

[1] So that there is nothing improbable in the story which represents her as finishing a novel at midnight, wrapping it up for the post, and beginning another before she went to bed.

the main business of life, divine in all its manifestations and therefore irresponsible. The conservative elements of society,[1] including of course the Roman Church,[2] placed her novels under the ban. Young, imaginative persons adored her. France and Europe — for French novelists, unlike those of other countries, are read all over the world — were divided into two camps. To the modern reader George Sand's attacks on the fundamental institution of society appear innocuous because they contain so much poetic disquisition and so little consecutive thinking. She herself speaks as if she had written to make literature rather than to inspire action. Her main purpose was to earn bread for her child and herself, and, like Goethe, relieve her mind of haunting follies by giving them expression.

A natural transition led her generous nature to espouse the cause of other types of the disinherited besides the unhappily married. She took up woman's rights, communistic schemes, and the extravagant ideas on social reform current in the forties. She allowed herself to be made a sounding-board for the theories of her radical friends Michel (de Bourges) and Pierre Leroux. This period includes the feeblest and most transitory part of her work; her art was subordinated to a purpose. The famous *Consuelo* appeared in 1842, *Le Meunier d'Angibault* in 1845, *Jeanne*, which foreshadowed better things, in 1844.

Her good fortune led her in the later forties to abandon sermonizing, lawless passion, and every kind of "tendency" for a series of simple love-stories, the scene of which is laid among the pleasant fields of Berry through which she had

1 Justin M'Carthy relates that an Irish journal was ruined by the appearance in its columns of a translation of one of George Sand's stories.

2 There are certain book-shops in Montreal at which none of the works of George Sand can be bought, not even the *Mare au Diable*.

roamed in her youth. The *Mare au Diable*, *François le Champi*, and *La Petite Fadette* have been called by Sainte-Beuve the *Georgics* of France. They are beautiful pictures of a life which she knew well from having led it herself: she had played with the little peasants, made fires with them in the fields (see p. 44, ll. 24–25), and listened to the hemp-dresser's stories in the long evenings (p. 1, l. 3). "The speech of Berry," she says, "was like beloved music in my ears." In a somewhat similar style to her three so-called *paysanneries* are *Jean de la Roche* and *Le Marquis de Villemer*, the scene of which is laid in other parts of rural France. From 1839 until the close of her life (1876), her home was in the old manor at Nohant. Here she dispensed gracious hospitality to her friends from Paris and to foreign visitors. She spent endless hours on the education of her grandchildren. When the Realists came in vogue she accepted cheerfully her relegation to a secondary place in public favor, made friends of them, read their stories, praised them when she could, and never mentioned her own. She was loved by the peasants of her neighborhood. They made no attempt to understand the strange doings at the *Château*, but they spoke of the *châtelaine* as "la bonne dame." Birds used to flock about her. "They are the only beings," she said, "that I have ever fascinated." Could there be a more delicate suggestion of the heart than that which prompted her to buy white sealing-wafers rather than red, lest a cricket which she had trained to run over her paper should poison itself? After reading such a story one is prepared to take her at her own words : "I am just a simple, harmless creature, to whom a fantastical fierceness of character has been attributed." Among her last words were, "Don't destroy the grass."

Foreign, especially English, critics are accustomed to go into ecstasies over George Sand's style. Henry James has

the happiest phrases to describe it : " noble and imperturb-
able," " a grand felicity of expression."   Faguet, Lemaître,
and Caro agree in applying to it the Quintilian *lactea ubertas*
("milky abundance").   She wrote, without effort and without
having passed through tentative, initiatory stages, never
erasing, never halting, ream upon ream of eloquent, ardent,
ample, beautiful prose.   Flaubert called her " an old-fash-
ioned inn-clock troubadour ever piping a tale of true lovers."
She accepted the appellation *troubadour*.   To those writers
who made a method of their raillery she said : " You young
people laugh, but more mournfully than we used to weep."
On the question of spontaneity she tolerated no compromise.
" Let her take her chances and be herself," she wrote to a
friend with an ambitious daughter.   To Flaubert she wrote :
" I pay little attention to style, provided emotion comes.
There is nothing in me ; *another* sings within me as it lists.
Do you let that *other one* be heard too."

What is specifically known as George Sand's style is
represented in the *Mare au Diable* by the two opening
chapters only.   The story proper is a *tour de force* of another
kind of style.   It is an idealized transcript of the peasant
talk in Berry.   Henry James calls it " artless and archaic."
It is not of course the words and accent of the peasant that
are reproduced, as in our "kail-yard" novels, but the earthy
savor of the speech, the blended pedantry and simplicity,
the atmosphere.   Like Schiller, George Sand found it easier
"to idealize the real than to realize the ideal."   In the
Mare au Diable she does not, as in some of her earlier
novels, violate probability.   Her peasants are genuine peasants.   The atmosphere, it is true, is more poetic than on
the French farm which usually finds its way into literature,
than in Zola's *La Terre* and Balzac's *Les Paysans*, but not
more so than on the actual Scotch farm which witnessed
the love-making of Burns and Highland Mary.

NOTICE

QUAND j'ai commencé, par la *Mare au Diable*, une série de romans champêtres, que je me proposais de réunir sous le titre de *Veillées du Chanvreur*, je n'ai eu aucun système, aucune prétention révolutionnaire en littérature. Personne ne fait une révolution à soi tout seul, et il en est, surtout dans les arts, que 5 l'humanité accomplit sans trop savoir comment, parce que c'est tout le monde qui s'en charge. Mais ceci n'est pas applicable au roman de mœurs rustiques : il a existé de tout temps et sous toutes les formes, tantôt pompeuses, tantôt maniérées, tantôt naïves. Je l'ai dit, et dois le répéter ici, le rêve de la vie cham- 10 pêtre a été de tout temps l'idéal des villes et même celui des cours. Je n'ai rien fait de neuf en suivant la pente qui ramène l'homme civilisé aux charmes de la vie primitive. Je n'ai voulu ni faire une nouvelle langue, ni me chercher une nouvelle manière. On me l'a cependant affirmé dans bon nombre de feuilletons, 15 mais je sais mieux que personne à quoi m'en tenir sur mes propres desseins, et je m'étonne toujours que la critique en cherche si long, quand l'idée la plus simple, la circonstance la plus vul- gaire, sont les seules inspirations auxquelles les productions de l'art doivent l'être. Pour la *Mare au Diable* en particulier, le 20 fait que j'ai rapporté dans l'avant-propos, une gravure d'Holbein, qui m'avait frappé, une scène réelle que j'eus sous les yeux dans le même moment, au temps des semailles, voilà tout ce qui m'a poussé à écrire cette histoire modeste, placée au milieu des humbles paysages que je parcourais chaque jour. Si on me demande 25 ce que j'ai voulu faire, je répondrai que j'ai voulu faire une chose très touchante et très simple, et que je n'ai pas réussi à mon gré. J'ai bien vu, j'ai bien senti le beau dans le simple, mais voir et peindre sont deux ! Tout ce que l'artiste peut espérer de mieux,

c'est d'engager ceux qui ont des yeux à regarder aussi. Voyez
donc la simplicité, vous autres, voyez le ciel et les champs, et les
arbres, et les paysans surtout dans ce qu'ils ont de bon et de
vrai : vous les verrez un peu dans mon livre, vous les verrez
5 beaucoup mieux dans la nature.

GEORGE SAND.

NOHANT, 12 avril 1851.

LA MARE AU DIABLE

I

L'AUTEUR AU LECTEUR

> A la sueur de ton visaige
> Tu gagnerois ta pauvre vie,
> Après long travail et usaige,
> Voicy la *mort* qui te convie.

LE quatrain en vieux français, placé au-dessous d'une composition d'Holbein, est d'une tristesse profonde dans sa naïveté. La gravure représente un laboureur conduisant sa charrue au milieu d'un champ. Une vaste campagne s'étend au loin, on y voit de pauvres cabanes ; le soleil se couche 5 derrière la colline. C'est la fin d'une rude journée de travail. Le paysan est vieux, trapu, couvert de haillons. L'attelage de quatre chevaux qu'il pousse en avant est maigre, exténué ; le soc s'enfonce dans un fonds raboteux et rebelle. Un seul être est allègre et ingambe dans cette scène de *sueur et* 10 *usaige*. C'est un personnage fantastique, un squelette armé d'un fouet, qui court dans le sillon à côté des chevaux effrayés et les frappe, servant ainsi de valet de charrue au vieux laboureur. C'est la mort, ce spectre qu'Holbein a introduit allégoriquement dans la succession de sujets philo- 15 sophiques et religieux, à la fois lugubres et bouffons, intitulée *les Simulachres de la mort*.

Dans cette collection, ou plutôt dans cette vaste composition où la mort, jouant son rôle à toutes les pages, est le

lien et la pensée dominante, Holbein a fait comparaître les
souverains, les pontifes, les amants, les joueurs, les ivrognes,
les nonnes, les courtisanes, les brigands, les pauvres, les
guerriers, les moines, les juifs, les voyageurs, tout le monde
5 de son temps et du nôtre ; et partout le spectre de la mort
raille, menace et triomphe.   D'un seul tableau elle est absente.
C'est celui où le pauvre Lazare, couché sur un fumier à la
porte du riche, déclare qu'il ne la craint pas, sans doute
parce qu'il n'a rien à perdre et que sa vie est une mort
10 anticipée.

Cette pensée stoïcienne du christianisme demi-païen de la
Renaissance est-elle bien consolante, et les âmes religieuses
y trouvent-elles leur compte ?   L'ambitieux, le fourbe, le
tyran, le débauché, tous ces pécheurs superbes qui abusent
15 de la vie, et que la mort tient par les cheveux, vont être
punis, sans doute ; mais l'aveugle, le mendiant, le fou, le
pauvre paysan, sont-ils dédommagés de leur longue misère
par la seule réflexion que la mort n'est pas un mal pour eux ?
Non !   Une tristesse implacable, une effroyable fatalité pèse
20 sur l'œuvre de l'artiste.   Cela ressemble à une malédiction
amère lancée sur le sort de l'humanité.

C'est bien là la satire douloureuse, la peinture vraie de la
société qu'Holbein avait sous les yeux.   Crime et malheur,
voilà ce qui le frappait ; mais nous, artistes d'un autre
25 siècle, que peindrons-nous ?   Chercherons-nous dans la
pensée de la mort la rémunération de l'humanité présente ?
l'invoquerons-nous comme le châtiment de l'injustice et le
dédommagement de la souffrance ?

Non, nous n'avons plus affaire à la mort, mais à la vie.
30 Nous ne croyons plus ni au néant de la tombe, ni au salut
acheté par un renoncement forcé ; nous voulons que la vie
soit bonne, parce que nous voulons qu'elle soit féconde.   Il
faut que Lazare quitte son fumier, afin que le pauvre ne se
réjouisse plus de la mort du riche.   Il faut que tous soient

heureux, afin que le bonheur de quelques-uns ne soit pas criminel et maudit de Dieu. Il faut que le laboureur, en semant son blé, sache qu'il travaille à l'œuvre de vie, et non qu'il se réjouisse de ce que la mort marche à ses côtés. Il faut enfin que la mort ne soit plus ni le châtiment de la prospérité, ni la consolation de la détresse. Dieu ne l'a destinée ni à punir, ni à dédommager de la vie ; car il a béni la vie, et la tombe ne doit pas être un refuge où il soit permis d'envoyer ceux qu'on ne veut pas rendre heureux.

Certains artistes de notre temps, jetant un regard sérieux sur ce qui les entoure, s'attachent à peindre la douleur, l'abjection de la misère, le fumier de Lazare. Ceci peut être du domaine de l'art et de la philosophie ; mais, en peignant la misère si laide, si avilie, parfois si vicieuse et si criminelle, leur but est-il atteint, et l'effet en est-il salutaire, comme ils le voudraient ? Nous n'osons pas nous prononcer là-dessus. On peut nous dire qu'en montrant ce gouffre creusé sous le sol fragile de l'opulence, ils effraient le mauvais riche, comme, au temps de la *danse macabre*, on lui montrait sa fosse béante et la mort prête à l'enlacer dans ses bras immondes. Aujourd'hui on lui montre le bandit crochetant sa porte et l'assassin guettant son sommeil. Nous confessons que nous ne comprenons pas trop comment on le réconciliera avec l'humanité qu'il méprise, comment on le rendra sensible aux douleurs du pauvre qu'il redoute, en lui montrant ce pauvre sous la forme du forçat évadé et du rôdeur de nuit. L'affreuse mort, grinçant des dents et jouant du violon dans les images d'Holbein et de ses devanciers, n'a pas trouvé moyen, sous cet aspect, de convertir les pervers et de consoler les victimes. Est-ce que notre littérature ne procéderait pas un peu en ceci comme les artistes du moyen âge et de la Renaissance ?

Les buveurs d'Holbein remplissent leurs coupes avec une sorte de fureur pour écarter l'idée de la mort, qui, invisible

pour eux, leur sert d'échanson. Les mauvais riches d'aujour-
d'hui demandent des fortifications et des canons pour écarter
l'idée d'une jacquerie, que l'art leur montre travaillant dans
l'ombre, en détail, en attendant le moment de fondre sur
5 l'état social. . L'Église du moyen âge répondait aux terreurs
des puissants de la terre par la vente des indulgences. Le
gouvernement d'aujourd'hui calme l'inquiétude des riches
en leur faisant payer beaucoup de gendarmes et de geôliers,
de baïonnettes et de prisons.

10   Albert Durer, Michel-Ange, Holbein, Callot, Goya, ont
fait de puissantes satires des maux de leur siècle et de leur
pays. Ce sont des œuvres immortelles, des pages historiques
d'une valeur incontestable ; nous ne voulons donc pas dénier
aux artistes le droit de sonder les plaies de la société et de
15 les mettre à nu sous nos yeux ; mais n'y a-t-il pas autre
chose à faire maintenant que la peinture d'épouvante et de
menace ? Dans cette littérature de mystères d'iniquité, que
le talent et l'imagination ont mise à la mode, nous aimons
mieux les figures douces et suaves que les scélérats à effet
20 dramatique. Celles-là peuvent entreprendre et amener des
conversions, les autres font peur, et la peur ne guérit pas
l'égoïsme, elle l'augmente.

   Nous croyons que la mission de l'art est une mission de
sentiment et d'amour, que le roman d'aujourd'hui devrait
25 remplacer la parabole et l'apologue des temps naïfs, et que
l'artiste a une tâche plus large et plus poétique que celle de
proposer quelques mesures de prudence et de conciliation
pour atténuer l'effroi qu'inspirent ses peintures. Son but
devrait être de faire aimer les objets de sa sollicitude, et au
30 besoin, je ne lui ferais pas un reproche de les embellir un
peu. L'art n'est pas une étude de la réalité positive ; c'est
une recherche de la vérité idéale, et le *Vicaire de Wakefield*
fut un livre plus utile et plus sain à l'âme que le *Paysan
perverti* et les *Liaisons dangereuses*.

Lecteur, pardonnez-moi ces réflexions, et veuillez les accepter en manière de préface. Il n'y en aura point dans l'historiette que je vais vous raconter, et elle sera si courte et si simple que j'avais besoin de m'en excuser d'avance, en vous disant ce que je pense des histoires 5 terribles.

C'est à propos d'un laboureur que je me suis laissé entraîner à cette digression. C'est l'histoire d'un laboureur précisément que j'avais l'intention de vous dire et que je vous dirai tout à l'heure.   10

II

LE LABOUR

Je venais de regarder longtemps et avec une profonde mélancolie le laboureur d'Holbein, et je me promenais dans la campagne, rêvant à la vie des champs et à la destinée du cultivateur. Sans doute il est lugubre de consumer ses forces et ses jours à fendre le sein de cette terre jalouse, qui se fait 15 arracher les trésors de sa fécondité, lorsqu'un morceau de pain le plus noir et le plus grossier est, à la fin de la journée, l'unique récompense et l'unique profit attachés à un si dur labeur. Ces richesses qui couvrent le sol, ces moissons, ces fruits, ces bestiaux orgueilleux qui s'engraissent dans 20 les longues herbes, sont la propriété de quelques-uns et les instruments de la fatigue et de l'esclavage du plus grand nombre. L'homme de loisir n'aime en général pour eux-mêmes, ni les champs, ni les prairies, ni le spectacle de la nature, ni les animaux superbes qui doivent se convertir en 25 pièces d'or pour son usage. L'homme de loisir vient chercher un peu d'air et de santé dans le séjour de la campagne, puis il retourne dépenser dans les grandes villes le fruit du travail de ses vassaux.

De son côté, l'homme du travail est trop accablé, trop
malheureux, et trop effrayé de l'avenir, pour jouir de la
beauté des campagnes et des charmes de la vie rustique.
Pour lui aussi les champs dorés, les belles prairies, les ani-
5 maux superbes, représentent des sacs d'écus dont il n'aura
qu'une faible part, insuffisante à ses besoins, et que, pourtant,
il faut remplir, chaque année, ces sacs maudits, pour satisfaire le maître et payer le droit de vivre parcimonieusement
et misérablement sur son domaine.

10   Et pourtant, la nature est éternellement jeune, belle et
généreuse.   Elle verse la poésie et la beauté à tous les êtres,
à toutes les plantes, qu'on laisse s'y développer à souhait.
Elle possède le secret du bonheur, et nul n'a su le lui ravir.
Le plus heureux des hommes serait celui qui, possédant la
15 science de son labeur, et travaillant de ses mains, puisant le
bien-être et la liberté dans l'exercice de sa force intelligente,
aurait le temps de vivre par le cœur et par le cerveau, de
comprendre son œuvre et d'aimer celle de Dieu.   L'artiste
a des jouissances de ce genre, dans la contemplation et la
20 reproduction des beautés de la nature ; mais, en voyant la
douleur des hommes qui peuplent ce paradis de la terre,
l'artiste au cœur droit et humain est troublé au milieu de sa
jouissance.   Le bonheur serait là où l'esprit, le cœur et les
bras, travaillant de concert sous l'œil de la Providence, une
25 sainte harmonie existerait entre la munificence de Dieu et
les ravissements de l'âme humaine.   C'est alors qu'au lieu
de la piteuse et affreuse mort, marchant dans son sillon, le
fouet à la main, le peintre d'allégories pourrait placer à ses
côtés un ange radieux, semant à pleines mains le blé béni
30 sur le sillon fumant.

Et le rêve d'une existence douce, libre, poétique, laborieuse
et simple pour l'homme des champs, n'est pas si difficile à
concevoir qu'on doive le reléguer parmi les chimères.   Le
mot triste et doux de Virgile : "O heureux l'homme des

champs, s'il connaissait son bonheur ! " est un regret ; mais,
comme tous les regrets, c'est aussi une prédiction.   Un jour
viendra où le laboureur pourra être aussi un artiste, sinon
pour exprimer (ce qui importera assez peu alors), du moins
pour sentir le beau.   Croit-on que cette mystérieuse intuition   5
de la poésie ne soit pas en lui déjà à l'état d'instinct et de
vague rêverie ?   Chez ceux qu'un peu d'aisance protège dès
aujourd'hui, et chez qui l'excès du malheur n'étouffe pas
tout développement moral et intellectuel, le bonheur pur,
senti et apprécié est à l'état élémentaire ; et, d'ailleurs, si   10
du sein de la douleur et de la fatigue, des voix de poètes se
sont déjà élevées, pourquoi dirait-on que le travail des bras
est exclusif des fonctions de l'âme ?   Sans doute cette
exclusion est le résultat général d'un travail excessif et
d'une misère profonde ; mais qu'on ne dise pas que quand   15
l'homme travaillera modérément et utilement il n'y aura plus
que de mauvais ouvriers et de mauvais poètes.   Celui qui
puise de nobles jouissances dans le sentiment de la poésie est
un vrai poète, n'eût-il pas fait un vers dans toute sa vie.

Mes pensées avaient pris ce cours, et je ne m'apercevais   20
pas que cette confiance dans l'éducabilité de l'homme était
fortifiée en moi par les influences extérieures.   Je marchais
sur la lisière d'un champ que des paysans étaient en train
de préparer pour la semaille prochaine.   L'arène était vaste
comme celle du tableau d'Holbein.   Le paysage était vaste   25
aussi et encadrait de grandes lignes de verdure, un peu
rougie aux approches de l'automne, ce large terrain d'un
brun vigoureux, où des pluies récentes avaient laissé, dans
quelques sillons, des lignes d'eau que le soleil faisait briller
comme de minces filets d'argent.   La journée était claire et   30
tiède, et la terre, fraîchement ouverte par le tranchant des
charrues, exhalait une vapeur légère.   Dans le haut du champ
un vieillard, dont le dos large et la figure sévère rappelaient
celui d'Holbein, mais dont les vêtements n'annonçaient pas

la misère, poussait gravement son *areau* de forme antique,
traîné par deux bœufs tranquilles, à la robe d'un jaune pâle,
véritables patriarches de la prairie, hauts de taille, un peu
maigres, les cornes longues et rabattues, de ces vieux travail-
5 leurs qu'une longue habitude a rendus *frères*, comme on les
appelle dans nos campagnes, et qui, privés l'un de l'autre,
se refusent au travail avec un nouveau compagnon et se
laissent mourir de chagrin.   Les gens qui ne connaissent
pas la campagne taxent de fable l'amitié du bœuf pour
10 son camarade d'attelage.   Qu'ils viennent voir au fond de
l'étable un pauvre animal maigre, exténué, battant de sa queue
inquiète ses flancs décharnés, soufflant avec effroi et dédain
sur la nourriture qu'on lui présente, les yeux toujours tournés
vers la porte, en grattant du pied la place vide à ses côtés,
15 flairant les jougs et les chaînes que son compagnon a portés,
et l'appelant sans cesse avec de déplorables mugissements.
Le bouvier dira : " C'est une paire de bœufs perdue ; son
frère est mort, et celui-là ne travaillera plus.   Il faudrait
pouvoir l'engraisser pour l'abattre ; mais il ne veut pas
20 manger, et bientôt il sera mort de faim."

Le vieux laboureur travaillait lentement, en silence, sans
efforts inutiles.   Son docile attelage ne se pressait pas plus
que lui ; mais grâce à la continuité d'un labeur sans distraction et d'une dépense de forces éprouvées et soutenues, son
25 sillon était aussi vite creusé que celui de son fils, qui menait,
à quelque distance, quatre bœufs moins robustes, dans une
veine de terres plus fortes et plus pierreuses.

Mais ce qui attira ensuite mon attention était véritablement
un beau spectacle, un noble sujet pour un peintre.   A l'autre
30 extrémité de la plaine labourable, un jeune homme de bonne
mine conduisait un attelage magnifique : quatre paires de
jeunes animaux à robe sombre mêlée de noir fauve à reflets
de feu, avec ces têtes courtes et frisées qui sentent encore
le taureau sauvage, ces gros yeux farouches, ces mouvements

brusques, ce travail nerveux et saccadé qui s'irrite encore du
joug et de l'aiguillon et n'obéit qu'en frémissant de colère à
la domination nouvellement imposée.   C'est ce qu'on appelle
des bœufs *fraîchement liés*.   L'homme qui les gouvernait
avait à défricher un coin naguère abandonné au pâturage et   5
rempli de souches séculaires, travail d'athlète auquel suffi-
saient à peine son énergie, sa jeunesse et ses huit animaux
quasi indomptés.

Un enfant de six à sept ans, beau comme un ange, et les
épaules couvertes, sur sa blouse, d'une peau d'agneau qui le   10
faisait ressembler au petit saint Jean-Baptiste des peintres
de la Renaissance, marchait dans le sillon parallèle à la
charrue et piquait le flanc des bœufs avec une gaule longue
et légère, armée d'un aiguillon peu acéré.   Les fiers animaux
frémissaient sous la petite main de l'enfant, et faisaient grincer   15
les jougs et les courroies liés à leur front, en imprimant au
timon de violentes secousses.   Lorsqu'une racine arrêtait le
soc, le laboureur criait d'une voix puissante, appelant chaque
bête par son nom, mais plutôt pour calmer que pour exciter ;
car les bœufs, irrités par cette brusque résistance, bondis-   20
saient, creusaient la terre de leurs larges pieds fourchus, et
se seraient jetés de côté emportant l'areau à travers champs,
si, de la voix et de l'aiguillon, le jeune homme n'eût maintenu
les quatre premiers, tandis que l'enfant gouvernait les quatre
autres.   Il criait aussi, le pauvret, d'une voix qu'il voulait   25
rendre terrible et qui restait douce comme sa figure angé-
lique.   Tout cela était beau de force ou de grâce : le paysage,
l'homme, l'enfant, les taureaux sous le joug ; et, malgré cette
lutte puissante, où la terre était vaincue, il y avait un sentiment de douceur et de calme profond qui planait sur toutes   30
choses.   Quand l'obstacle était surmonté et que l'attelage
reprenait sa marche égale et solennelle, le laboureur, dont
la feinte violence n'était qu'un exercice de vigueur et une
dépense d'activité, reprenait tout à coup la sérénité des âmes

simples et jetait un regard de contentement paternel sur son enfant, qui se retournait pour lui sourire. Puis la voix mâle de ce jeune père de famille entonnait le chant solennel et mélancolique que l'antique tradition du pays transmet, non à tous les laboureurs indistinctement, mais aux plus consommés dans l'art d'exciter et de soutenir l'ardeur des bœufs de travail. Ce chant, dont l'origine fut peut-être considérée comme sacrée, et auquel de mystérieuses influences ont dû être attribuées jadis, est réputé encore aujourd'hui posséder la vertu d'entretenir le courage de ces animaux, d'apaiser leurs mécontentements et de charmer l'ennui de leur longue besogne. Il ne suffit pas de savoir bien les conduire en traçant un sillon parfaitement rectiligne, de leur alléger la peine en soulevant ou enfonçant à point le fer dans la terre : on n'est point un parfait laboureur si on ne sait chanter aux bœufs, et c'est là une science à part qui exige un goût et des moyens particuliers.

Ce chant n'est, à vrai dire, qu'une sorte de récitatif interrompu et repris à volonté. Sa forme irrégulière et ses intonations fausses selon les règles de l'art musical le rendent intraduisible. Mais ce n'en est pas moins un beau chant, et tellement approprié à la nature du travail qu'il accompagne, à l'allure du bœuf, au calme des lieux agrestes, à la simplicité des hommes qui le disent, qu'aucun génie étranger au travail de la terre ne l'eût inventé, et qu'aucun chanteur autre qu'un *fin laboureur* de cette contrée ne saurait le redire. Aux époques de l'année où il n'y a pas d'autre travail et d'autre mouvement dans la campagne que celui du labourage, ce chant si doux et si puissant monte comme une voix de la brise, à laquelle sa tonalité particulière donne une certaine ressemblance. La note finale de chaque phrase, tenue et tremblée avec une longueur et une puissance d'haleine incroyable, monte d'un quart de ton en faussant systématiquement. Cela est sauvage, mais le charme en est indicible, et quand on s'est habitué à l'entendre, on ne conçoit pas qu'un autre chant pût s'élever à ces heures et dans ces lieux-là, sans en déranger l'harmonie.

Il se trouvait donc que j'avais sous les yeux un tableau qui contrastait avec celui d'Holbein, quoique ce fût une scène 5 pareille. Au lieu d'un triste vieillard, un homme jeune et dispos ; au lieu d'un attelage de chevaux efflanqués et harassés, un double quadrige de bœufs robustes et ardents ; au lieu de la mort, un bel enfant ; au lieu d'une image de désespoir et d'une idée de destruction, un spectacle d'énergie 10 et une pensée de bonheur.

C'est alors que le quatrain français

A la sueur de ton visaige, etc.

et le "*O fortunatos . . . agricolas*" de Virgile me revinrent ensemble à l'esprit, et qu'en voyant ce couple si beau, l'homme 15 et l'enfant, accomplir dans des conditions si poétiques, et avec tant de grâce unie à la force, un travail plein de grandeur et de solennité, je sentis une pitié profonde mêlée à un respect involontaire. Heureux le laboureur ! oui, sans doute, je le serais à sa place, si mon bras, devenu tout d'un coup 20 robuste, et ma poitrine devenue puissante, pouvaient ainsi féconder et chanter la nature, sans que mes yeux cessassent de voir et mon cerveau de comprendre l'harmonie des couleurs et des sons, la finesse des tons et la grâce des contours, en un mot la beauté mystérieuse des choses ! et surtout sans 25 que mon cœur cessât d'être en relation avec le sentiment divin qui a présidé à la création immortelle et sublime.

Mais, hélas ! cet homme n'a jamais compris le mystère du beau, cet enfant ne le comprendra jamais ! . . . Dieu me préserve de croire qu'ils ne soient pas supérieurs aux animaux 30 qu'ils dominent, et qu'ils n'aient pas par instants une sorte de révélation extatique qui charme leur fatigue et endort leurs soucis ! Je vois sur leurs nobles fronts le sceau du

Seigneur, car ils sont nés rois de la terre bien mieux que
ceux qui la possèdent pour l'avoir payée. Et la preuve
qu'ils le sentent, c'est qu'on ne les dépayserait pas impunément, c'est qu'ils aiment ce sol arrosé de leurs sueurs, c'est
5 que le vrai paysan meurt de nostalgie sous le harnais du
soldat, loin du champ qui l'a vu naître. Mais il manque à
cet homme une partie des jouissances que je possède, jouissances immatérielles qui lui seraient bien dues, à lui, l'ouvrier
du vaste temple que le ciel est assez vaste pour embrasser.
10 Il lui manque la connaissance de son sentiment. Ceux qui
l'ont condamné à la servitude dès le ventre de sa mère, ne
pouvant lui ôter la rêverie, lui ont ôté la réflexion.

Eh bien ! tel qu'il est, incomplet et condamné à une éter-
nelle enfance, il est encore plus beau que celui chez qui la
15 science a étouffé le sentiment. Ne vous élevez pas au-dessus
de lui, vous autres qui vous croyez investis du droit légi-
time et imprescriptible de lui commander, car cette erreur
effroyable où vous êtes prouve que votre esprit a tué votre
cœur, et que vous êtes les plus incomplets et les plus aveugles
20 des hommes ! . . . J'aime encore mieux cette simplicité de
son âme que les fausses lumières de la vôtre ; et si j'avais à
raconter sa vie, j'aurais plus de plaisir à en faire ressortir
les côtés doux et touchants, que vous n'avez de mérite à
peindre l'abjection où les rigueurs et les mépris de vos
25 préceptes sociaux peuvent le précipiter.

Je connaissais ce jeune homme et ce bel enfant ; je savais
leur histoire, car ils avaient une histoire, tout le monde a la
sienne, et chacun pourrait intéresser au roman de sa propre
vie, s'il l'avait compris. . . . Quoique paysan et simple labou-
30 reur, Germain s'était rendu compte de ses devoirs et de ses
affections. Il me les avait racontés naïvement, clairement,
et je l'avais écouté avec intérêt. Quand je l'eus regardé
labourer assez longtemps, je me demandai pourquoi son histoire ne serait pas écrite, quoique ce fût une histoire aussi

simple, aussi droite et aussi peu ornée que le sillon qu'il
traçait avec sa charrue.

L'année prochaine, ce sillon sera comblé et couvert par
un sillon nouveau. Ainsi s'imprime et disparaît la trace de
la plupart des hommes dans le champ de l'humanité. Un
peu de terre l'efface, et les sillons que nous avons creusés
se succèdent les uns aux autres comme les tombes dans le
cimetière. Le sillon du laboureur ne vaut-il pas celui de
l'oisif, qui a pourtant un nom, un nom qui restera, si, par
une singularité ou une absurdité quelconque, il fait un peu
de bruit dans le monde ? . . .

Eh bien ! arrachons, s'il se peut, au néant de l'oubli,
le sillon de Germain, le *fin laboureur*. Il n'en saura rien
et ne s'en inquiétera guère ; mais j'aurai eu quelque plaisir
à le tenter.

III

LE PÈRE MAURICE

Germain, lui dit un jour son beau-père, il faut pourtant te
décider à reprendre femme. Voilà bientôt deux ans que tu
es veuf de ma fille, et ton aîné a sept ans. Tu approches
de la trentaine, mon garçon, et tu sais que, passé cet âge-là,
dans nos pays, un homme est réputé trop vieux pour rentrer
en ménage. Tu as trois beaux enfants, et jusqu'ici ils ne
nous ont point embarrassés. Ma femme et ma bru les ont
soignés de leur mieux, et les ont aimés comme elles le
devaient. Voilà Petit-Pierre quasi élevé ; il pique déjà les
bœufs assez gentiment ; il est assez sage pour garder les
bêtes au pré, et assez fort pour mener les chevaux à l'abreuvoir. Ce n'est donc pas celui-là qui nous gêne : mais les
deux autres, que nous aimons pourtant, Dieu le sait, les
pauvres innocents ! nous donnent cette année beaucoup
de souci. Ma bru ne pourra plus s'occuper de ta petite

Solange et surtout de ton Sylvain, qui n'a pas quatre ans
et qui ne se tient guère en repos ni le jour ni la nuit.   C'est
un sang vif comme toi: ça fera un bon ouvrier, mais ça fait
un terrible enfant, et ma vieille ne court plus assez vite
5 pour le rattraper quand il se sauve du côté de la fosse, ou
quand il se jette sous les pieds des bêtes.   Donc tes enfants
nous inquiètent et nous surchargent.   Nous n'aimons pas
à voir des enfants mal soignés; et quand on pense aux
accidents qui peuvent leur arriver, faute de surveillance, on
10 n'a pas la tête en repos.   Il te faut donc une autre femme
et à moi une autre bru.   Songes-y, mon garçon.   Je t'ai
déjà averti plusieurs fois, le temps se passe, les années ne
t'attendront point.   Tu dois à tes enfants et à nous autres,
qui voulons que tout aille bien dans la maison, de te marier
15 au plus tôt.

— Eh bien, mon père, répondit le gendre, si vous le voulez
absolument, il faudra donc vous contenter.   Mais je ne veux
pas vous cacher que cela me fera beaucoup de peine, et que
je n'en ai guère plus d'envie que de me noyer.   On sait qui
20 on perd et on ne sait pas qui l'on trouve.   J'avais une brave
femme, une belle femme, douce, courageuse, bonne à ses
père et mère, bonne à son mari, bonne à ses enfants, bonne
au travail, aux champs comme à la maison, adroite à l'ouvrage, bonne à tout enfin; et quand vous me l'avez donnée,
25 quand je l'ai prise, nous n'avions pas mis dans nos conditions que je viendrais à l'oublier si j'avais le malheur de la
perdre.

—Ce que tu dis là est d'un bon cœur, Germain, reprit le
père Maurice; je sais que tu as aimé ma fille, que tu l'as
30 rendue heureuse, et que si tu avais pu contenter la mort en
passant à sa place, Catherine serait en vie à l'heure qu'il
est, et toi dans le cimetière.   Elle méritait bien d'être aimée
de toi à ce point-là, et si tu ne t'en consoles pas, nous ne
nous en consolons pas non plus.   Mais je ne te parle pas

de l'oublier. Le bon Dieu a voulu qu'elle nous quittât,
et nous ne passons pas un jour sans lui faire savoir par nos
prières, nos pensées, nos paroles et nos actions, que nous
respectons son souvenir et que nous sommes fâchés de son
départ. Mais si elle pouvait te parler de l'autre monde et   5
te donner à connaître sa volonté, elle te commanderait de
chercher une mère pour ses petits orphelins. Il s'agit donc
de rencontrer une femme qui soit digne de la remplacer.
Ce ne sera pas bien aisé : mais ce n'est pas impossible ; et
quand nous te l'aurons trouvée, tu l'aimeras comme tu aimais   10
ma fille, parce que tu es un honnête homme, et que tu lui
sauras gré de nous rendre service et d'aimer tes enfants.

— C'est bien, père Maurice, dit Germain, je ferai votre
volonté comme je l'ai toujours faite.

— C'est une justice à te rendre, mon fils, que tu as tou-   15
jours écouté l'amitié et les bonnes raisons de ton chef de
famille. Avisons donc ensemble au choix de ta nouvelle
femme. D'abord je ne suis pas d'avis que tu prennes une
jeunesse. Ce n'est pas ce qu'il te faut. La jeunesse est
légère ; et comme c'est un fardeau d'élever trois enfants,   20
il faut une bonne âme bien sage, bien douce et très portée
au travail. Si ta femme n'a pas environ le même âge que
toi, elle n'aura pas assez de raison pour accepter un pareil
devoir. Elle te trouvera trop vieux et tes enfants trop
jeunes. Elle se plaindra et tes enfants pâtiront.   25

— Voilà justement ce qui m'inquiète, dit Germain. Si
ces pauvres petits venaient à être maltraités, haïs, battus ?

— A Dieu ne plaise ! reprit le vieillard. Mais les méchantes femmes sont plus rares dans notre pays que les
bonnes, et il faudrait être fou, pour ne pas mettre la main   30
sur celle qui convient.

— C'est vrai, mon père : il y a de bonnes filles dans
notre village. Il y a la Louise, la Sylvaine, la Claudie, la
Marguerite . . . enfin, celle que vous voudrez.

— Doucement, doucement, mon garçon, toutes ces filles-là
sont trop jeunes ou trop pauvres . . . ou trop jolies filles;
car, enfin, il faut penser à cela aussi, mon fils.   Une jolie
femme n'est pas toujours aussi rangée qu'une autre.

5   — Vous voulez donc que j'en prenne une laide? dit
Germain un peu inquiet.

— Non, point laide, car cette femme te donnera d'autres
enfants, et il n'y a rien de si triste que d'avoir des enfants
laids, chétifs et malsains.   Mais une femme encore fraîche,
10 d'une bonne santé et qui ne soit ni belle ni laide, ferait très
bien ton affaire.

— Je vois bien, dit Germain en souriant un peu tristement,
que, pour l'avoir telle que vous la voulez, il faudra la faire
faire exprès: d'autant plus que vous ne la voulez point
15 pauvre, et que les riches ne sont pas faciles à obtenir surtout pour un veuf.

— Et si elle était veuve elle-même, Germain? là, une
veuve sans enfants et avec un bon bien?

— Je n'en connais pas pour le moment dans notre paroisse.
20   — Ni moi non plus, mais il y en a ailleurs.

— Vous avez quelqu'un en vue, mon père; alors, dites-le
tout de suite.

IV

GERMAIN LE FIN LABOUREUR

— Oui, j'ai quelqu'un en vue, répondit le père Maurice.
C'est une Léonard, veuve d'un Guérin, qui demeure à
25 Fourche.

— Je ne connais ni la femme ni l'endroit, répondit Germain résigné, mais de plus en plus triste.

— Elle s'appelle Catherine, comme ta défunte.

— Catherine?   Oui, ça me fera plaisir d'avoir à dire ce
30 nom-là; Catherine!   Et pourtant, si je ne peux pas l'aimer

autant que l'autre, ça me fera encore plus de peine, ça me
la rappellera plus souvent.

—Je te dis que tu l'aimeras : c'est un bon sujet, une
femme de grand cœur ; je ne l'ai pas vue depuis longtemps,
elle n'était pas laide fille alors ; mais elle n'est plus jeune, 5
elle a trente-deux ans. Elle est d'une bonne famille, tous
braves gens, et elle a bien pour huit ou dix mille francs de
terres, qu'elle vendrait volontiers pour en acheter d'autres
dans l'endroit où elle s'établirait ; car elle songe aussi à se
remarier, et je sais que, si ton caractère lui convenait, elle 10
ne trouverait pas ta position mauvaise.

—Vous avez donc déjà arrangé tout cela ?

—Oui, sauf votre avis à tous les deux ; et c'est ce qu'il
faudrait vous demander l'un à l'autre, en faisant connaissance. Le père de cette femme-là est un peu mon parent, 15
et il a été beaucoup mon ami. Tu le connais bien, le père
Léonard ?

—Oui, je l'ai vu vous parler dans les foires, et, à la dernière, vous avez déjeuné ensemble ; c'est donc de cela qu'il
vous entretenait si longuement ?   20

—Sans doute ; il te regardait vendre tes bêtes et il trouvait que tu t'y prenais bien, que tu étais un garçon de bonne
mine, que tu paraissais actif et entendu ; et quand je lui eus
dit tout ce que tu es et comme tu te conduis bien avec nous,
depuis huit ans que nous vivons et travaillons ensemble, 25
sans avoir jamais eu un mot de chagrin ou de colère, il
s'est mis dans la tête de te faire épouser sa fille ; ce qui me
convient aussi, je te le confesse, d'après la bonne renommée
qu'elle a, d'après l'honnêteté de sa famille et les bonnes
affaires où je sais qu'ils sont.   30

—Je vois, père Maurice, que vous tenez un peu aux
bonnes affaires.

—Sans doute, j'y tiens. Est-ce que tu n'y tiens pas
aussi ?

—J'y tiens, si vous voulez, pour vous faire plaisir; mais
vous savez que, pour ma part, je ne m'embarrasse jamais de
ce qui me revient ou de ce qui ne me revient pas dans nos
profits. Je ne m'entends pas à faire des partages, et ma
5 tête n'est pas bonne pour ces choses-là. Je connais la
terre, je connais les bœufs, les chevaux, les attelages, les
semences, la battaison, les fourrages. Pour les moutons,
la vigne, le jardinage, les menus profits et la culture fine,
vous savez que ça regarde votre fils et que je ne m'en mêle
10 pas beaucoup. Quant à l'argent, ma mémoire est courte,
et j'aimerais mieux tout céder que de disputer sur le tien
et le mien. Je craindrais de me tromper et de réclamer ce
qui ne m'est pas dû, et si les affaires n'étaient pas simples
et claires, je ne m'y retrouverais jamais.

15 —C'est tant pis, mon fils, et voilà pourquoi j'aimerais
que tu eusses une femme de tête pour me remplacer quand
je n'y serai plus. Tu n'as jamais voulu voir clair dans nos
comptes, et ça pourrait t'amener du désagrément avec mon
fils, quand vous ne m'aurez plus pour vous mettre d'accord
20 et vous dire ce qui vous revient à chacun.

—Puissiez-vous vivre longtemps, père Maurice ! Mais ne
vous inquiétez pas de ce qui sera après vous ; jamais je ne
me disputerai avec votre fils. Je me fie à Jacques comme
à vous-même, et comme je n'ai pas de bien à moi, que tout
25 ce qui peut me revenir provient de votre fille et appartient
à nos enfants, je peux être tranquille et vous aussi ; Jacques
ne voudrait pas dépouiller les enfants de sa sœur pour les
siens, puisqu'il les aime quasi autant les uns que les autres.

—Tu as raison en cela, Germain. Jacques est un bon
30 fils, un bon frère et un homme qui aime la vérité. Mais
Jacques peut mourir avant toi, avant que vos enfants soient
élevés, et il faut toujours songer, dans une famille, à ne pas
laisser des mineurs sans un chef pour les bien conseiller et
régler leurs différends. Autrement les gens de loi s'en

mêlent, les brouillent ensemble et leur font tout manger en
procès.   Ainsi donc, nous ne devons pas penser à mettre
chez nous une personne de plus, soit homme, soit femme,
sans nous dire qu'un jour cette personne-là aura peut-être
à diriger la conduite et les affaires d'une trentaine d'enfants,   5
petits-enfants, gendres et brus. . . .   On ne sait pas combien
une famille peut s'accroître, et quand la ruche est trop
pleine, qu'il faut essaimer, chacun songe à emporter son
miel.   Quand je t'ai pris pour gendre, quoique ma fille fût
riche et toi pauvre, je ne lui ai pas fait reproche de t'avoir   10
choisi.   Je te voyais bon travailleur, et je savais bien que
la meilleure richesse pour des gens de campagne comme
nous, c'est une paire de bras et un cœur comme les tiens.
Quand un homme apporte cela dans une famille, il apporte
assez.   Mais une femme, c'est différent : son travail dans   15
la maison est bon pour conserver, non pour acquérir.   D'ailleurs, à présent que tu es père et que tu cherches femme,
il faut songer que tes nouveaux enfants, n'ayant rien à prétendre dans l'héritage de ceux du premier mariage, se
trouveraient dans la misère si tu venais à mourir, à moins   20
que ta femme n'eût quelque bien de son côté.   Et puis,
les enfants dont tu vas augmenter notre colonie coûteront
quelque chose à nourrir.   Si cela retombait sur nous seuls,
nous les nourririons, bien certainement, et sans nous en
plaindre ; mais le bien-être de tout le monde en serait   25
diminué, et les premiers enfants auraient leur part de pri-
vations là-dedans.   Quand les familles augmentent outre
mesure sans que le bien augmente en proportion, la misère
vient, quelque courage qu'on y mette.   Voilà mes observations, Germain, pèse-les, et tâche de te faire agréer à la veuve   30
Guérin ; car sa bonne conduite et ses écus apporteront ici
de l'aide dans le présent et de la tranquillité pour l'avenir.

   — C'est dit, mon père.   Je vais tâcher de lui plaire et
qu'elle me plaise.

— Pour cela il faut la voir et aller la trouver.

— Dans son endroit ? A Fourche ? C'est loin d'ici,
n'est-ce pas ? et nous n'avons guère le temps de courir dans
cette saison.

5 — Quand il s'agit d'un mariage d'amour, il faut s'attendre
à perdre du temps ; mais quand c'est un mariage de raison
entre deux personnes qui n'ont pas de caprices et savent ce
qu'elles veulent, c'est bientôt décidé. C'est demain samedi ;
tu feras ta journée de labour un peu courte, tu partiras vers
10 les deux heures après dîner ; tu seras à Fourche à la nuit ;
la lune est grande dans ce moment-ci, les chemins sont bons,
et il n'y a pas plus de trois lieues de pays. C'est près du
Magnier. D'ailleurs tu prendras la jument.

— J'aimerais autant aller à pied, par ce temps frais.

15 — Oui, mais la jument est belle, et un prétendu qui arrive
aussi bien monté a meilleur air. Tu mettras tes habits
neufs, et tu porteras un joli présent de gibier au père Léonard. Tu arriveras de ma part, tu causeras avec lui, tu
passeras la journée du dimanche avec sa fille, et tu revien-
20 dras avec un oui ou un non lundi matin.

— C'est entendu, répondit tranquillement Germain ; et
pourtant il n'était pas tout à fait tranquille.

Germain avait toujours vécu sagement comme vivent les
paysans laborieux. Marié à vingt ans, il n'avait aimé qu'une
25 femme dans sa vie, et, depuis son veuvage, quoiqu'il fût
d'un caractère impétueux et enjoué, il n'avait ri et folâtré
avec aucune autre. Il avait porté fidèlement un véritable
regret dans son cœur, et ce n'était pas sans crainte et sans
tristesse qu'il cédait à son beau-père ; mais le beau-père
30 avait toujours gouverné sagement la famille, et Germain,
qui s'était dévoué tout entier à l'œuvre commune, et, par
conséquent, à celui qui la personnifiait, au père de famille,
Germain ne comprenait pas qu'il eût pu se révolter contre
de bonnes raisons, contre l'intérêt de tous.

Néanmoins il était triste. Il se passait peu de jours qu'il
ne pleurât sa femme en secret, et, quoique la solitude com-
mençât à lui peser, il était plus effrayé de former une union
nouvelle que désireux de se soustraire à son chagrin. Il se
disait vaguement que l'amour eût pu le consoler, en venant   5
le surprendre, car l'amour ne console pas autrement. On
ne le trouve pas quand on le cherche; il vient à nous quand
nous ne l'attendons pas. Ce froid projet de mariage que
lui montrait le père Maurice, cette fiancée inconnue, peut-
être même tout ce bien qu'on lui disait de sa raison et de 10
sa vertu, lui donnaient à penser. Et il s'en allait, songeant,
comme songent les hommes qui n'ont pas assez d'idées pour
qu'elles se combattent entre elles, c'est-à-dire ne se formu-
lant pas à lui-même de belles raisons de résistance et d'égoïsme, mais souffrant d'une douleur sourde, et ne luttant pas 15
contre un mal qu'il fallait accepter.

Cependant le père Maurice était rentré à la métairie,
tandis que Germain, entre le coucher du soleil et la nuit,
occupait la dernière heure du jour à fermer les brèches que
les moutons avaient faites à la bordure d'un enclos voisin 20
des bâtiments. Il relevait les tiges d'épine et les soutenait
avec des mottes de terre, tandis que les grives babillaient
dans le buisson voisin et semblaient lui crier de se hâter,
curieuses qu'elles étaient de venir examiner son ouvrage
aussitôt qu'il serait parti.   25

V

LA GUILLETTE

Le père Maurice trouva chez lui une vieille voisine qui
était venue causer avec sa femme tout en cherchant de la
braise pour allumer son feu. La mère Guillette habitait une
chaumière fort pauvre à deux portées de fusil de la ferme.

Mais c'était une femme d'ordre et de volonté. Sa pauvre
maison était propre et bien tenue, et ses vêtements rapiécés
avec soin annonçaient le respect de soi-même au milieu de
la détresse.

5   — Vous êtes venue chercher le feu du soir, mère Guillette,
lui dit le vieillard.   Voulez-vous quelque autre chose ?

— Non, père Maurice, répondit-elle ; rien pour le moment.
Je ne suis pas quémandeuse, vous le savez, et je n'abuse
pas de la bonté de mes amis.

10   — C'est la vérité ; aussi vos amis sont toujours prêts à
vous rendre service.

— J'étais en train de causer avec votre femme, et je lui
demandais si Germain se décidait enfin à se remarier.

— Vous n'êtes point une bavarde, répondit le père Mau-
15 rice, on peut parler devant vous sans craindre les propos :
ainsi je dirai à ma femme et à vous que Germain est tout à
fait décidé ; il part demain pour le domaine de Fourche.

— A la bonne heure ! s'écria la mère Maurice ; ce pauvre
enfant !   Dieu veuille qu'il trouve une femme aussi bonne
20 et aussi brave que lui !

— Ah ! il va à Fourche ? observa la Guillette. Voyez comme
ça se trouve ! cela m'arrange beaucoup, et puisque vous me
demandiez tout à l'heure si je désirais quelque chose, je vas
vous dire, père Maurice, en quoi vous pouvez m'obliger.

25   — Dites, dites, vous obliger, nous le voulons.

— Je voudrais que Germain prît la peine d'emmener ma
fille avec lui.

— Où donc ? à Fourche ?

— Non pas à Fourche ; mais aux Ormeaux, où elle va
30 demeurer le reste de l'année.

— Comment ! dit la mère Maurice, vous vous séparez de
votre fille ?

— Il faut bien qu'elle entre en condition et qu'elle gagne
quelque chose.   Ça me fait assez de peine et à elle aussi,

la pauvre âme ! Nous n'avons pas pu nous décider à nous
quitter à l'époque de la Saint-Jean ; mais voilà que la Saint-
Martin arrive, et qu'elle trouve une bonne place de bergère
dans les fermes des Ormeaux. Le fermier passait l'autre
jour par ici en revenant de la foire. Il vit ma petite Marie 5
qui gardait ses trois moutons sur le communal. "Vous
n'êtes guère occupée, ma petite fille, qu'il lui dit ; et trois
moutons pour une *pastoure*, ce n'est guère. Voulez-vous en
garder cent ? je vous emmène. La bergère de chez nous
est tombée malade, elle retourne chez ses parents, et si 10
vous voulez être chez nous avant huit jours, vous aurez
cinquante francs pour le reste de l'année jusqu'à la Saint-
Jean." L'enfant a refusé, mais elle n'a pu se défendre d'y
songer et de me le dire lorsqu'en rentrant le soir elle m'a
vue triste et embarrassée de passer l'hiver, qui va être rude 15
et long, puisqu'on a vu, cette année, les grues et les oies
sauvages traverser les airs un grand mois plus tôt que de
coutume. Nous avons pleuré toutes deux ; mais enfin le
courage est venu. Nous nous sommes dit que nous ne
pouvions pas rester ensemble, puisqu'il y a à peine de quoi 20
faire vivre une seule personne sur notre lopin de terre ; et
puisque Marie est en âge (la voilà qui prend seize ans), il
faut bien qu'elle fasse comme les autres, qu'elle gagne son
pain et qu'elle aide sa pauvre mère.

— Mère Guillette, dit le vieux laboureur, s'il ne fallait que 25
cinquante francs pour vous consoler de vos peines et vous
dispenser d'envoyer votre enfant au loin, vrai, je vous les
ferais trouver, quoique cinquante francs pour des gens
comme nous ça commence à peser. Mais en toutes choses
il faut consulter la raison autant que l'amitié. Pour être 30
sauvée de la misère de cet hiver, vous ne le serez pas de la
misère à venir, et plus votre fille tardera à prendre un parti,
plus elle et vous aurez de peine à vous quitter. La petite
Marie se fait grande et forte, et elle n'a pas de quoi

s'occuper chez vous.   Elle pourrait y prendre l'habitude
de la fainéantise. . . .

— Oh! pour cela je ne le crains pas, dit la Guillette. Marie
est courageuse autant que fille riche et à la tête d'un gros
5 travail puisse l'être.   Elle ne reste pas un instant les bras
croisés, et quand nous n'avons pas d'ouvrage elle nettoie et
frotte nos pauvres meubles qu'elle rend clairs comme des
miroirs. C'est une enfant qui vaut son pesant d'or, et j'aurais
bien mieux aimé qu'elle entrât chez vous comme bergère que
10 d'aller si loin chez des gens que je ne connais pas.   Vous
l'auriez prise à la Saint-Jean, si nous avions su nous décider ;
mais à présent vous avez loué tout votre monde, et ce n'est
qu'à la Saint-Jean de l'autre année que nous pourrons y songer.

— Eh! j'y consens de tout mon cœur, Guillette! Cela me
15 fera plaisir.   Mais en attendant, elle fera bien d'apprendre
un état et de s'habituer à servir les autres.

— Oui, sans doute ; le sort en est jeté.   Le fermier des
Ormeaux l'a fait demander ce matin ; nous avons dit oui,
et il faut qu'elle parte.   Mais la pauvre enfant ne sait pas
20 le chemin, et je n'aimerais pas à l'envoyer si loin toute seule.
Puisque votre gendre va à Fourche demain, il peut bien
l'emmener.   Il paraît que c'est tout à côté du domaine où elle
va, à ce qu'on m'a dit ; car je n'ai jamais fait ce voyage-là.

— C'est tout à côté, et mon gendre la conduira.   Cela se
25 doit ; il pourra même la prendre en croupe sur la jument, ce
qui ménagera ses souliers.   Le voilà qui rentre pour souper.
Dis-moi, Germain, la petite Marie à la mère Guillette s'en va
bergère aux Ormeaux. Tu la conduiras sur ton cheval,
n'est-ce pas ?

30   — C'est bien, répondit Germain qui était soucieux, mais
toujours disposé à rendre service à son prochain.

Dans notre monde à nous, pareille chose ne viendrait pas
à la pensée d'une mère, de confier une fille de seize ans à
un homme de vingt-huit ! car Germain n'avait réellement

que vingt-huit ans, et quoique, selon les idées de son pays, il passât pour vieux au point de vue du mariage, il était encore le plus bel homme de l'endroit. Le travail ne l'avait pas creusé et flétri comme la plupart des paysans qui ont dix années de labourage sur la tête. Il était de force à 5 labourer encore dix ans sans paraître vieux, et il eût fallu que le préjugé de l'âge fût bien fort sur l'esprit d'une jeune fille pour l'empêcher de voir que Germain avait le teint frais, l'œil vif et bleu comme le ciel de mai, la bouche rose, des dents superbes, le corps élégant et souple comme 10 celui d'un jeune cheval qui n'a pas encore quitté le pré.

Mais la chasteté des mœurs est une tradition sacrée dans certaines campagnes éloignées du mouvement corrompu des grandes villes, et, entre toutes les familles de Belair, la famille de Maurice était réputée honnête et servant la vérité. 15 Germain s'en allait chercher femme ; Marie était une enfant trop jeune et trop pauvre pour qu'il y songeât dans cette vue. Le père Maurice ne fut donc nullement inquiet de lui voir prendre en croupe cette jolie fille ; la Guillette eût cru lui faire injure si elle lui eût recommandé de la respecter comme sa 20 sœur ; Marie monta sur la jument en pleurant, après avoir vingt fois embrassé sa mère et ses jeunes amies. Germain, qui était triste pour son compte, compatissait d'autant plus à son chagrin, et s'en alla d'un air sérieux, tandis que les gens du voisinage disaient adieu de la main à la pauvre Marie sans 25 songer à mal.

VI

PETIT-PIERRE

La Grise était jeune, belle et vigoureuse. Elle portait sans effort son double fardeau, couchant les oreilles et ron- geant son frein, comme une fière et ardente jument qu'elle était. En passant devant le pré-long, elle aperçut sa mère, 30

qui s'appelait la vieille Grise, comme elle la jeune Grise, et
elle hennit en signe d'adieu.   La vieille Grise approcha de
la haie en faisant résonner ses enferges, essaya de galoper
sur la marge du pré pour suivre sa fille ; puis, la voyant
5 prendre le grand trot, elle hennit à son tour, et resta pensive, inquiète, le nez au vent, la bouche pleine d'herbes
qu'elle ne songeait plus à manger.

   —Cette pauvre bête connaît toujours sa progéniture, dit
Germain pour distraire la petite Marie de son chagrin.   Ça
10 me fait penser que je n'ai pas embrassé mon Petit-Pierre
avant de partir.   Le mauvais enfant n'était pas là ! Il voulait, hier au soir, me faire promettre de l'emmener, et il a
pleuré pendant une heure dans son lit.   Ce matin, encore,
il a tout essayé pour me persuader.   Oh ! qu'il est adroit
15 et câlin ! mais quand il a vu que ça ne se pouvait pas,
monsieur s'est fâché : il est parti dans les champs, et je ne
l'ai pas revu de la journée.

   —Moi, je l'ai vu, dit la petite Marie en faisant effort
pour rentrer ses larmes.   Il courait avec les enfants de Sou-
20 las du côté des tailles, et je me suis bien doutée qu'il était
hors de la maison depuis longtemps, car il avait faim et
mangeait des prunelles et des mûres de buisson.   Je lui ai
donné le pain de mon goûter, et il m'a dit : Merci, ma Marie
mignonne : quand tu viendras chez nous, je te donnerai
25 de la galette.   C'est un enfant trop gentil que vous avez
là, Germain !

   —Oui, qu'il est gentil, reprit le laboureur, et je ne sais
pas ce que je ne ferais pas pour lui !   Si sa grand'mère
n'avait pas eu plus de raison que moi, je n'aurais pas pu
30 me tenir de l'emmener, quand je le voyais pleurer si fort
que son pauvre petit cœur en était tout gonflé.

   —Eh bien ?   pourquoi ne l'auriez-vous pas emmené,
Germain ?   Il ne vous aurait guère embarrassé ; il est si raisonnable quand on fait sa volonté !

—Il paraît qu'il aurait été de trop là où je vais. Du
moins c'était l'avis du père Maurice. . . . Moi, pourtant,
j'aurais pensé qu'au contraire il fallait voir comment on le
recevrait, et qu'un si gentil enfant ne pouvait qu'être pris en
bonne amitié. . . . Mais ils disent à la maison qu'il ne faut   5
pas commencer par faire voir les charges du ménage. . . .
Je ne sais pas pourquoi je te parle de ça, petite Marie :
tu n'y comprends rien.

—Si fait, Germain ; je sais que vous allez pour vous
marier ; ma mère me l'a dit, en me recommandant de n'en   10
parler à personne, ni chez nous, ni là où je vais, et vous
pouvez être tranquille : je n'en dirai mot.

—Tu feras bien, car ce n'est pas fait ; peut-être que je
ne conviendrai pas à la femme en question.

—Il faut espérer que si, Germain. Pourquoi donc ne   15
lui conviendriez-vous pas ?

—Qui sait ? J'ai trois enfants, et c'est lourd pour une
femme qui n'est pas leur mère !

—C'est vrai, mais vos enfants ne sont pas comme d'autres
enfants.   20

—Crois-tu ?

—Ils sont beaux comme des petits anges, et si bien
élevés qu'on n'en peut pas voir de plus aimables.

—Il y a Sylvain qui n'est pas trop commode.

—Il est tout petit ! il ne peut pas être autrement que   25
terrible, mais il a tant d'esprit !

—C'est vrai qu'il a de l'esprit : et un courage ! Il ne
craint ni vaches, ni taureaux, et si on le laissait faire, il
grimperait déjà sur les chevaux avec son aîné.

—Moi, à votre place, j'aurais amené l'aîné. Bien sûr   30
ça vous aurait fait aimer tout de suite, d'avoir un enfant si
beau !

—Oui, si la femme aime les enfants ; mais si elle ne les
aime pas !

— Est-ce qu'il y a des femmes qui n'aiment pas les
enfants ?

— Pas beaucoup, je pense ; mais enfin il y en a, et c'est
là ce qui me tourmente.

5   — Vous ne la connaissez donc pas du tout cette femme ?

— Pas plus que toi, et je crains de ne pas la mieux connaître, après que je l'aurai vue. Je ne suis pas méfiant,
moi. Quand on me dit de bonnes paroles, j'y crois : mais
j'ai été plus d'une fois à même de m'en repentir, car les
10 paroles ne sont pas des actions.

— On dit que c'est une fort brave femme.

— Qui dit cela ? le père Maurice !

— Oui, votre beau-père.

— C'est fort bien ; mais il ne la connaît pas non plus.

15   — Eh bien, vous la verrez tantôt, vous ferez grande attention, et il faut espérer que vous ne vous tromperez pas,
Germain.

— Tiens, petite Marie, je serais bien aise que tu entres
un peu dans la maison, avant de t'en aller tout droit aux
20 Ormeaux : tu es fine, toi, tu as toujours montré de l'esprit,
et tu fais attention à tout. Si tu vois quelque chose qui
te donne à penser, tu m'en avertiras tout doucement.

— Oh ! non, Germain, je ne ferai pas cela ! je craindrais
trop de me tromper ; et, d'ailleurs, si une parole dite à la
25 légère venait à vous dégoûter de ce mariage, vos parents
m'en voudraient, et j'ai bien assez de chagrins comme ça,
sans en attirer d'autres sur ma pauvre chère femme de mère.

Comme ils devisaient ainsi, la Grise fit un écart en dres-
sant les oreilles, puis revint sur ses pas, et se rapprocha du
30 buisson, où quelque chose qu'elle commençait à reconnaître
l'avait d'abord effrayée. Germain jeta un regard sur le
buisson, et vit dans le fossé, sous les branches épaisses et
encore fraîches d'un têteau de chêne, quelque chose qu'il
prit pour un agneau.

— C'est une bête égarée, dit-il, ou morte, car elle ne bouge.   Peut-être que quelqu'un la cherche ; il faut voir !

— Ce n'est pas une bête, s'écria la petite Marie : c'est un enfant qui dort ; c'est votre Petit-Pierre.

— Par exemple ! dit Germain en descendant de cheval: voyez ce petit garnement qui dort là, si loin de la maison, et dans un fossé où quelque serpent pourrait bien le trouver !

Il prit dans ses bras l'enfant, qui lui sourit en ouvrant les yeux et jeta ses bras autour de son cou, en lui disant: Mon petit père, tu vas m'emmener avec toi !

— Ah oui ! toujours la même chanson ! Que faisiez-vous là, mauvais Pierre ?

— J'attendais mon petit père à passer, dit l'enfant ; je regardais sur le chemin, et à force de regarder, je me suis endormi.

— Et si j'étais passé sans te voir, tu serais resté toute la nuit dehors, et le loup t'aurait mangé !

— Oh ! je savais bien que tu me verrais ! répondit Petit-Pierre avec confiance.

— Eh bien, à présent, mon Pierre, embrasse-moi, dis-moi adieu, et retourne vite à la maison, si tu ne veux pas qu'on soupe sans toi.

— Tu ne veux donc pas m'emmener ? s'écria le petit en commençant à frotter ses yeux pour montrer qu'il avait dessein de pleurer.

— Tu sais bien que grand-père et grand'mère ne le veulent pas, dit Germain, se retranchant derrière l'autorité des vieux parents, comme un homme qui ne compte guère sur la sienne propre.

Mais l'enfant n'entendit rien. Il se prit à pleurer tout de bon, disant que puisque son père emmenait la petite Marie, il pouvait bien l'emmener aussi. On lui objecta qu'il fallait passer les grands bois, qu'il y avait là beaucoup de méchantes bêtes qui mangeaient les petits enfants, que

la Grise ne voulait pas porter trois personnes, qu'elle l'avait
déclaré en partant, et que dans le pays où l'on se rendait,
il n'y avait ni lit ni souper pour les marmots.   Toutes ces
excellentes raisons ne persuadèrent point Petit-Pierre ; il se
5 jeta sur l'herbe, et s'y roula, en criant que son petit père
ne l'aimait plus, et que s'il ne l'emmenait pas, il ne rentre-
rait point du jour ni de la nuit à la maison.

Germain avait un cœur de père aussi tendre et aussi faible
que celui d'une femme.   La mort de la sienne, les soins qu'il
10 avait été forcé de rendre seul à ses petits, aussi la pensée
que ces pauvres enfants sans mère avaient besoin d'être beaucoup aimés, avaient contribué à le rendre ainsi, et il se fit
en lui un si rude combat, d'autant plus qu'il rougissait
de sa faiblesse et s'efforçait de cacher son malaise à la
15 petite Marie, que la sueur lui en vint au front et que ses
yeux se bordèrent de rouge, prêts à pleurer aussi.   Enfin il
essaya de se mettre en colère ; mais, en se retournant vers
la petite Marie, comme pour la prendre à témoin de sa
fermeté d'âme, il vit que le visage de cette bonne fille était
20 baigné de larmes, et tout son courage l'abandonnant, il lui
fut impossible de retenir les siennes, bien qu'il grondât et
menaçât encore.

—Vrai, vous avez le cœur trop dur, lui dit enfin la
petite Marie, et, pour ma part, je ne pourrai jamais résister
25 comme cela à un enfant qui a un si gros chagrin.   Voyons, Germain, emmenez-le.   Votre jument est bien habituée
à porter deux personnes et un enfant, à preuve que votre
beau-frère et sa femme, qui est plus lourde que moi de
beaucoup, vont au marché le samedi avec leur garçon, sur le
30 dos de cette bonne bête.   Vous le mettrez à cheval devant
vous, et d'ailleurs j'aime mieux m'en aller toute seule à pied
que de faire de la peine à ce petit.

—Qu'à cela ne tienne, répondit Germain, qui mourait
d'envie de se laisser convaincre.   La Grise est forte et en

porterait deux de plus, s'il y avait place sur son échine.
Mais que ferons-nous de cet enfant en route ? il aura froid,
il aura faim . . . et qui prendra soin de lui ce soir et demain
pour le coucher, le laver et le rhabiller ? Je n'ose pas
donner cet ennui-là à une femme que je ne connais pas, 5
et qui trouvera, sans doute, que je suis bien sans façons
avec elle pour commencer.

— D'après l'amitié ou l'ennui qu'elle montrera, vous la con-
naîtrez tout de suite, Germain, croyez-moi ; et d'ailleurs, si
elle rebute votre Pierre, moi je m'en charge. J'irai chez elle 10
l'habiller et je l'emmènerai aux champs demain. Je l'amuserai toute la journée et j'aurai soin qu'il ne manque de rien.

— Et il t'ennuiera, ma pauvre fille ! Il te gênera ! toute
une journée, c'est long !

— Ça me fera plaisir, au contraire, ça me tiendra com- 15
pagnie, et ça me rendra moins triste le premier jour que
j'aurai à passer dans un nouveau pays. Je me figurerai
que je suis encore chez nous.

L'enfant, voyant que la petite Marie prenait son parti,
s'était cramponné à sa jupe et la tenait si fort qu'il eût fallu 20
lui faire du mal pour l'en arracher. Quand il reconnut que
son père cédait, il prit la main de Marie dans ses deux
petites mains brunies par le soleil, et l'embrassa en sautant
de joie et en la tirant vers la jument, avec cette impatience
ardente que les enfants portent dans leurs désirs. 25

— Allons, allons, dit la jeune fille, en le soulevant dans ses
bras, tâchons d'apaiser ce pauvre cœur qui saute comme un
petit oiseau, et si tu sens le froid quand la nuit viendra, dis-
le-moi, mon Pierre, je te serrerai dans ma cape. Embrasse
ton petit père, et demande-lui pardon d'avoir fait le méchant. 30
Dis que ça ne t'arrivera plus, jamais ! jamais, entends-tu ?

— Oui, oui, à condition que je ferai toujours sa volonté,
n'est-ce pas ? dit Germain en essuyant les yeux du petit
avec son mouchoir : ah ! Marie, vous me le gâtez, ce

drôle-là ! . . . Et vraiment, tu es une trop bonne fille, petite
Marie.   Je ne sais pas pourquoi tu n'es pas entrée bergère
chez nous à la Saint-Jean dernière.   Tu aurais pris soin de
mes enfants, et j'aurais mieux aimé te payer un bon prix
5 pour les servir, que d'aller chercher une femme qui croira
peut-être me faire beaucoup de grâce en ne les détestant pas.

— Il ne faut pas voir comme ça les choses par le mauvais
côté, répondit la petite Marie, en tenant la bride du cheval
pendant que Germain plaçait son fils sur le devant du large
10 bât garni de peau de chèvre : si votre femme n'aime pas les
enfants, vous me prendrez à votre service l'an prochain, et,
soyez tranquille, je les amuserai si bien qu'ils ne s'aperce-
vront de rien.

VII

DANS LA LANDE

— Ah ça, dit Germain, lorsqu'ils eurent fait quelques pas,
15 que va-t-on penser à la maison en ne voyant pas rentrer ce
petit bonhomme ?   Les parents vont être inquiets et le cher-
cheront partout.

— Vous allez dire au cantonnier qui travaille là-haut sur
la route, que vous l'emmenez, et vous lui recommanderez
20 d'avertir votre monde.

— C'est vrai, Marie, tu t'avises de tout, toi ! moi, je ne
pensais plus que Jeannie devait être par là.

— Et justement, il demeure tout près de la métairie ; il ne
manquera pas de faire la commission.

25 Quand on eut avisé à cette précaution, Germain remit la
jument au trot, et Petit-Pierre était si joyeux, qu'il ne
s'aperçut pas tout de suite qu'il n'avait pas dîné ; mais le
mouvement du cheval lui creusant l'estomac, il se prit, au
bout d'une lieue, à bâiller, à pâlir, et à confesser qu'il mou-
30 rait de faim.

— Voilà que ça commence, dit Germain. Je savais bien que nous n'irions pas loin sans que ce monsieur criât la faim ou la soif.

— J'ai soif aussi ! dit Petit-Pierre.

— Eh bien ! nous allons donc entrer dans le cabaret de la mère Rebec, à Corlay, au *Point du Jour*. Belle enseigne, mais pauvre gîte ! Allons, Marie, tu boiras aussi un doigt de vin.

— Non, non, je n'ai besoin de rien, dit-elle, je tiendrai la jument pendant que vous entrerez avec le petit.

— Mais j'y songe, ma bonne fille, tu as donné ce matin le pain de ton goûter à mon Pierre, et toi tu es à jeun ; tu n'as pas voulu dîner avec nous à la maison, tu ne faisais que pleurer.

— Oh ! je n'avais pas faim, j'avais trop de peine ! et je vous jure qu'à présent encore je ne sens aucune envie de manger.

— Il faut te forcer, petite ; autrement tu seras malade. Nous avons du chemin à faire, et il ne faut pas arriver là-bas comme des affamés pour demander du pain avant de dire bonjour. Moi-même je veux te donner l'exemple, quoique je n'aie pas grand appétit ; mais j'en viendrai à bout, vu que, après tout, je n'ai pas dîné non plus. Je vous voyais pleurer, toi et ta mère, et ça me troublait le cœur. Allons, allons, je vais attacher la Grise à la porte ; descends, je le veux.

Ils entrèrent tous trois chez la Rebec, et, en moins d'un quart d'heure, la grosse boiteuse réussit à leur servir une omelette de bonne mine, du pain bis et du vin clairet.

Les paysans ne mangent pas vite, et le petit Pierre avait si grand appétit qu'il se passa bien une heure avant que Germain pût songer à se remettre en route. La petite Marie avait mangé par complaisance d'abord ; puis, peu à peu, la faim était venue : car à seize ans on ne peut pas

faire longtemps diète, et l'air des campagnes est impérieux.
Les bonnes paroles que Germain sut lui dire pour la consoler et lui faire prendre courage produisirent aussi leur
effet; elle fit effort pour se persuader que sept mois seraient
5 bientôt passés, et pour songer au bonheur qu'elle aurait de
se retrouver dans sa famille et dans son hameau, puisque le
père Maurice et Germain s'accordaient pour lui promettre
de la prendre à leur service.   Mais comme elle commençait
à s'égayer et à badiner avec le petit Pierre, Germain eut la
10 malheureuse idée de lui faire regarder, par la fenêtre du
cabaret, la belle vue de la vallée qu'on voit tout entière de
cette hauteur, et qui est si riante, si verte et si fertile.   Marie
regarda et demanda si de là on voyait les maisons de
Belair.

15 — Sans doute, dit Germain, et la métairie, et même ta
maison.   Tiens, ce petit point gris, pas loin du grand peuplier à Godard, plus bas que le clocher.

  — Ah! je la vois, dit la petite; et là-dessus elle recommença de pleurer.

20 — J'ai eu tort de te faire songer à ça, dit Germain, je ne
fais que des bêtises aujourd'hui!   Allons, Marie, partons,
ma fille; les jours sont courts, et dans une heure, quand la
lune montera, il ne fera pas chaud.

  Ils se remirent en route, traversèrent la grande *brande*,
25 et comme, pour ne pas fatiguer la jeune fille et l'enfant par
un trop grand trot, Germain ne pouvait faire aller la Grise
bien vite, le soleil était couché quand ils quittèrent la route
pour gagner les bois.

  Germain connaissait le chemin jusqu'au Magnier; mais il
30 pensa qu'il aurait plus court en ne prenant pas l'avenue de
Chanteloube, mais en descendant par Presles et la Sépul-
ture, direction qu'il n'avait pas l'habitude de prendre quand
il allait à la foire.   Il se trompa et perdit encore un peu
de temps avant d'entrer dans le bois; encore n'y entra-t-il

point par le bon côté, et il ne s'en aperçut pas, si bien qu'il
tourna le dos à Fourche et gagna beaucoup plus haut du
côté d'Ardente.

Ce qui l'empêchait alors de s'orienter, c'était un brouillard qui s'élevait avec la nuit, un de ces brouillards des soirs 5
d'automne, que la blancheur du clair de lune rend plus
vagues et plus trompeurs encore. Les grandes flaques d'eau
dont les clairières sont semées exhalaient des vapeurs si
épaisses que, lorsque la Grise les traversait, on ne s'en
apercevait qu'au clapotement de ses pieds et à la peine 10
qu'elle avait à les tirer de la vase.

Quand on eut enfin trouvé une belle allée bien droite, et
qu'arrivé au bout, Germain chercha à voir où il était, il
s'aperçut bien qu'il s'était perdu ; car le père Maurice, en lui
expliquant son chemin, lui avait dit qu'à la sortie des bois 15
il aurait à descendre un bout de côte très raide, à traverser
une immense prairie et à passer deux fois la rivière à gué.
Il lui avait même recommandé d'entrer dans cette rivière
avec précaution, parce qu'au commencement de la saison il
y avait eu de grandes pluies et que l'eau pouvait être un 20
peu haute. Ne voyant ni descente, ni prairie, ni rivière,
mais la lande unie et blanche comme une nappe de neige,
Germain s'arrêta, chercha une maison, attendit un passant,
et ne trouva rien qui pût le renseigner. Alors il revint sur
ses pas et rentra dans les bois. Mais le brouillard s'épaissit 25
encore plus, la lune fut tout à fait voilée, les chemins étaient
affreux, les fondrières profondes. Par deux fois, la Grise
faillit s'abattre ; chargée comme elle l'était, elle perdait
courage, et, si elle conservait assez de discernement pour ne
pas se heurter contre les arbres, elle ne pouvait empêcher 30
que ceux qui la montaient n'eussent affaire à de grosses
branches, qui barraient le chemin à la hauteur de leurs
têtes et qui les mettaient fort en danger. Germain perdit
son chapeau dans une de ces rencontres et eut grand'peine

à le retrouver. Petit-Pierre s'était endormi et, se laissant
aller comme un sac, il embarrassait tellement les bras de
son père, que celui-ci ne pouvait plus ni soutenir ni diriger
le cheval.

5   — Je crois que nous sommes ensorcelés, dit Germain en
s'arrêtant : car ces bois ne sont pas assez grands pour qu'on
s'y perde, à moins d'être ivre, et il y a deux heures au moins
que nous y tournons sans pouvoir en sortir. La Grise n'a
qu'une idée en tête, c'est de s'en retourner à la maison,
10 et c'est elle qui me fait tromper. Si nous voulons nous en
aller chez nous, nous n'avons qu'à la laisser faire. Mais
quand nous sommes peut-être à deux pas de l'endroit où
nous devons coucher, il faudrait être fou pour y renoncer et
recommencer une si longue route. Cependant, je ne sais
15 plus que faire. Je ne vois ni ciel ni terre, et je crains que
cet enfant-là ne prenne la fièvre si nous restons dans ce
brouillard, ou qu'il ne soit écrasé par notre poids si le cheval
vient à s'abattre en avant.

       — Il ne faut pas nous obstiner davantage, dit la petite
20 Marie. Descendons, Germain ; donnez-moi l'enfant, je le
porterai fort bien, et j'empêcherai mieux que vous que la
cape, se dérangeant, ne le laisse à découvert. Vous con-
duirez la jument par la bride, et nous verrons peut-être plus
clair quand nous serons plus près de terre.

25 Ce moyen ne réussit qu'à les préserver d'une chute de
cheval, car le brouillard rampait et semblait se coller à la
terre humide. La marche était pénible, et ils furent bientôt si harassés qu'ils s'arrêtèrent en rencontrant enfin un
endroit sec sous de grands chênes. La petite Marie était
30 en nage, mais elle ne se plaignait ni ne s'inquiétait de rien.
Occupée seulement de l'enfant, elle s'assit sur le sable et le
coucha sur ses genoux, tandis que Germain explorait les
environs, après avoir passé les rênes de la Grise dans une
branche d'arbre.

Mais la Grise, qui s'ennuyait fort de ce voyage, donna un coup de reins, dégagea les rênes, rompit les sangles, et lâchant, par manière d'acquit, une demi-douzaine de ruades plus haut que sa tête, partit à travers les taillis, montrant fort bien qu'elle n'avait besoin de personne pour retrouver 5 son chemin.

— Ça, dit Germain, après avoir vainement cherché à la rattraper, nous voici à pied, et rien ne nous servirait de nous trouver dans le bon chemin, car il nous faudrait traverser la rivière à pied ; et à voir comme ces routes sont pleines d'eau, 10 nous pouvons être sûrs que la prairie est sous la rivière. Nous ne connaissons pas les autres passages.   Il nous faut donc attendre que ce brouillard se dissipe ; ça ne peut pas durer plus d'une heure ou deux.   Quand nous verrons clair, nous chercherons une maison, la première venue à la lisière 15 du bois ; mais à présent nous ne pouvons sortir d'ici ; il y a là une fosse, un étang, je ne sais quoi devant nous ; et derrière, je ne saurais pas non plus dire ce qu'il y a, car je ne comprends plus par quel côté nous sommes arrivés.

VIII

SOUS LES GRANDS CHÊNES

— Eh bien ! prenons patience, Germain, dit la petite 20 Marie.   Nous ne sommes pas mal sur cette petite hauteur. La pluie ne perce pas la feuillée de ces gros chênes, et nous pouvons allumer du feu, car je sens de vieilles souches qui ne tiennent à rien et qui sont assez sèches pour flamber.   Vous avez bien du feu, Germain ?   Vous fumiez votre pipe tantôt. 25

— J'en avais ! mon briquet était sur le bât dans mon sac, avec le gibier que je portais à ma future ; mais la maudite jument a tout emporté, même mon manteau, qu'elle va perdre et déchirer à toutes les branches.

— Non pas, Germain ; la bâtine, le manteau, le sac, tout
est là par terre, à vos pieds.   La Grise a cassé les sangles
et tout jeté à côté d'elle en partant.

— C'est, vrai Dieu, certain ! dit le laboureur ; et si nous
5 pouvons trouver un peu de bois mort à tâtons, nous réussi-
rons à nous sécher et à nous réchauffer.

— Ce n'est pas difficile, dit la petite Marie, le bois mort
craque partout sous les pieds : mais donnez-moi d'abord ici
la bâtine.

10 — Qu'en veux-tu faire ?

— Un lit pour le petit : non, pas comme ça, à l'envers ;
il ne roulera pas dans la ruelle ; et c'est encore tout chaud
du dos de la bête.   Calez-moi ça de chaque côté avec ces
pierres que vous voyez là !

15 — Je ne les vois pas, moi ! Tu as donc des yeux de chat !

— Tenez ! voilà qui est fait, Germain ! Donnez-moi votre
manteau, que j'enveloppe ses petits pieds, et ma cape par-
dessus son corps.   Voyez ! s'il n'est pas couché là aussi
bien que dans son lit ! et tâtez-le comme il a chaud !

20 — C'est vrai ! tu t'entends à soigner les enfants, Marie !

— Ce n'est pas bien sorcier.   A présent, cherchez votre
briquet dans votre sac, et je vais arranger le bois.

— Ce bois ne prendra jamais, il est trop humide.

— Vous doutez de tout, Germain ! vous ne vous souvenez
25 donc pas d'avoir été pâtour et d'avoir fait de grands feux
aux champs, au beau milieu de la pluie ?

— Oui, c'est le talent des enfants qui gardent les bêtes,
mais moi j'ai été toucheur de bœufs aussitôt que j'ai su
marcher.

30 — C'est pour cela que vous êtes plus fort de vos bras
qu'adroit de vos mains.   Le voilà bâti ce bûcher, vous
allez voir s'il ne flambera pas !   Donnez-moi le feu et une
poignée de fougère sèche.   C'est bien ! soufflez à présent ;
vous n'êtes pas poumonique ?

— Non pas que je sache, dit Germain en soufflant comme un soufflet de forge. Au bout d'un instant, la flamme brilla, jeta d'abord une lumière rouge, et finit par s'élever en jets bleuâtres sous le feuillage des chênes, luttant contre la brume et séchant peu à peu l'atmosphère à dix pieds à la ronde. 5

— Maintenant, je vais m'asseoir auprès du petit pour qu'il ne lui tombe pas d'étincelles sur le corps, dit la jeune fille. Vous, mettez du bois et animez le feu, Germain ! nous n'attraperons ici ni fièvre ni rhume, je vous en réponds.

— Ma foi, tu es une fille d'esprit, dit Germain, et tu sais 10 faire le feu comme une petite sorcière de nuit. Je me sens tout ranimé, et le cœur me revient ; car avec les jambes mouillées jusqu'aux genoux, et l'idée de rester comme cela jusqu'au point du jour, j'étais de fort mauvaise humeur tout à l'heure. 15

— Et quand on est de mauvaise humeur, on ne s'avise de rien, reprit la petite Marie.

— Et tu n'es donc jamais de mauvaise humeur, toi ?

— Eh non ! jamais. A quoi bon ?

— Oh ! ce n'est bon à rien, certainement ; mais le moyen 20 de s'en empêcher, quand on a des ennuis ! Dieu sait que tu n'en as pas manqué, toi, pourtant, ma pauvre petite : car tu n'as pas toujours été heureuse !

— C'est vrai, nous avons souffert, ma pauvre mère et moi. Nous avions du chagrin, mais nous ne perdions jamais 25 courage.

— Je ne perdrais pas courage pour quelque ouvrage que ce fût, dit Germain ; mais la misère me fâcherait ; car je n'ai jamais manqué de rien. Ma femme m'avait fait riche et je le suis encore ; je le serai tant que je travaillerai à la 30 métairie : ce sera toujours, j'espère ; mais chacun doit avoir sa peine ! j'ai souffert autrement.

— Oui, vous avez perdu votre femme, et c'est grand' pitié !

— N'est-ce pas ?

—Oh! je l'ai bien pleurée, allez, Germain! car elle
était si bonne! Tenez, n'en parlons plus; car je la pleure-
rais encore, tous mes chagrins sont en train de me revenir
aujourd'hui.

5   —C'est vrai qu'elle t'aimait beaucoup, petite Marie! elle
faisait grand cas de toi et de ta mère.   Allons! tu pleures!
Voyons, ma fille, je ne veux pas pleurer, moi. . . .

—Vous pleurez, pourtant, Germain! Vous pleurez aussi!
Quelle honte y a-t-il pour un homme à pleurer sa femme?
10 Ne vous gênez pas, allez! je suis bien de moitié avec vous
dans cette peine-là!

—Tu as un bon cœur, Marie, et ça me fait du bien de
pleurer avec toi.   Mais approche donc tes pieds du feu;
tu as tes jupes toutes mouillées aussi, pauvre petite fille!
15 Tiens, je vas prendre ta place auprès du petit, chauffe-toi
mieux que ça.

—J'ai assez chaud, dit Marie; et si vous voulez vous
asseoir, prenez un coin du manteau, moi je suis très-bien.

—Le fait est qu'on est pas mal ici, dit Germain en s'as-
20 seyant tout auprès d'elle.   Il n'y a que la faim qui me tourmente un peu.   Il est bien neuf heures du soir, et j'ai eu
tant de peine à marcher dans ces mauvais chemins, que je
me sens tout affaibli.   Est-ce que tu n'as pas faim, aussi,
toi, Marie?

25   —Moi? pas du tout.   Je ne suis pas habituée, comme
vous, à faire quatre repas, et j'ai été tant de fois me coucher
sans souper, qu'une fois de plus ne m'étonne guère.

—Eh bien, c'est commode une femme comme toi; ça ne
fait pas de dépense, dit Germain en souriant.

30   —Je ne suis pas une femme, dit naïvement Marie, sans
s'apercevoir de la tournure que prenaient les idées du laboureur.   Est-ce que vous rêvez?

—Oui, je crois que je rêve, répondit Germain; c'est la
faim qui me fait divaguer peut-être!

— Que vous êtes donc gourmand ! reprit-elle en s'égayant un peu à son tour ; eh bien ! si vous ne pouvez pas vivre cinq ou six heures sans manger, est-ce que vous n'avez pas là du gibier dans votre sac, et du feu pour le faire cuire ?

— Diantre ! c'est une bonne idée ! mais le présent à mon futur beau-père ?

— Vous avez six perdrix et un lièvre ! Je pense qu'il ne vous faut pas tout cela pour vous rassasier ?

— Mais faire cuire cela ici, sans broche et sans landiers, ça deviendra du charbon !

— Non pas, dit la petite Marie ; je me charge de vous le faire cuire sous la cendre sans goût de fumée. Est-ce que vous n'avez jamais attrapé d'alouettes dans les champs, et que vous ne les avez pas fait cuire entre deux pierres ? Ah ! c'est vrai ! j'oublie que vous n'avez pas été pastour ! Voyons, plumez cette perdrix ! Pas si fort ! vous lui arrachez la peau !

— Tu pourrais bien plumer l'autre pour me montrer !

— Vous voulez donc en manger deux ? Quel ogre ! Allons, les voilà plumées, je vais les cuire.

— Tu ferais une parfaite cantinière, petite Marie ; mais, par malheur, tu n'as pas de cantine, et je serai réduit à boire l'eau de cette mare.

— Vous voudriez du vin, pas vrai ? Il vous faudrait peut-être du café ? vous vous croyez à la foire sous la ramée ! Appelez l'aubergiste : de la liqueur au fin laboureur de Belair !

— Ah ! petite méchante, vous vous moquez de moi ? Vous ne boiriez pas du vin, vous, si vous en aviez ?

— Moi ? j'en ai bu ce soir avec vous chez la Rebec, pour la seconde fois de ma vie ; mais si vous êtes bien sage, je vais vous en donner une bouteille quasi pleine, et du bon encore !

— Comment, Marie, tu es donc sorcière, décidément ?

— Est-ce que vous n'avez pas fait la folie de demander deux bouteilles de vin à la Rebec ? Vous en avez bu une avec votre petit, et j'ai à peine avalé trois gouttes de celle que vous aviez mise devant moi. Cependant vous les avez
5 payées toutes les deux sans y regarder.

— Eh bien ?

— Eh bien, j'ai mis dans mon panier celle qui n'avait pas été bue, parce que j'ai pensé que vous ou votre petit auriez soif en route ; et la voilà.

10 — Tu es la fille la plus avisée que j'aie jamais rencontrée. Voyez ! elle pleurait pourtant, cette pauvre enfant, en sortant de l'auberge ! ça ne l'a pas empêchée de penser aux autres plus qu'à elle-même. Petite Marie, l'homme qui t'épousera ne sera pas sot.

15 — Je l'espère, car je n'aimerais pas un sot. Allons, mangez vos perdrix, elles sont cuites à point ; et, faute de pain, vous vous contenterez de châtaignes.

— Et où diable as-tu pris aussi des châtaignes ?

— C'est bien étonnant ! tout le long du chemin, j'en
20 ai pris aux branches en passant, et j'en ai rempli mes poches.

— Et elles sont cuites aussi ?

— A quoi donc aurais-je eu l'esprit si je ne les avais pas mises dans le feu dès qu'il a été allumé ? Ça se fait tou-
25 jours, aux champs.

— Ah çà, petite Marie, nous allons souper ensemble ! je veux boire à ta santé et te souhaiter un bon mari ... là, comme tu le souhaiterais toi-même. Dis-moi un peu cela !

— J'en serais fort empêchée, Germain, car je n'y ai pas
30 encore songé.

— Comment, pas du tout ? jamais ? dit Germain, en commençant à manger avec un appétit de laboureur, mais coupant les meilleurs morceaux pour les offrir à sa compagne, qui refusa obstinément et se contenta de quelques

châtaignes. Dis-moi donc, petite Marie, reprit-il, voyant
qu'elle ne songeait pas à lui répondre, tu n'as pas encore
eu l'idée du mariage ? tu es en âge, pourtant !

— Peut-être, dit-elle ; mais je suis trop pauvre. Il faut
au moins cent écus pour entrer en ménage, et je dois   5
travailler cinq ou six ans pour les amasser.

— Pauvre fille ! je voudrais que le père Maurice voulût
bien me donner cent écus pour t'en faire cadeau.

— Grand merci, Germain. Eh bien ! qu'est-ce qu'on
dirait de moi ?   10

— Que veux-tu qu'on dise ? on sait bien que je suis
vieux et que je ne peux pas t'épouser. Alors on ne suppo-
serait pas que je . . . que tu . . .

— Dites donc, laboureur ! voilà votre enfant qui se
réveille, dit la petite Marie.   15

IX

LA PRIÈRE DU SOIR

Petit-Pierre s'était soulevé et regardait autour de lui
d'un air tout pensif.

— Ah ! il n'en fait jamais d'autre quand il entend manger, celui-là ! dit Germain : le bruit du canon ne le réveil-
lerait pas ; mais quand on remue les mâchoires auprès de   20
lui, il ouvre les yeux tout de suite.

— Vous avez dû être comme ça à son âge, dit la petite
Marie avec un sourire malin. Allons, mon petit Pierre, tu
cherches ton ciel de lit ? Il est fait de verdure, ce soir,
mon enfant ; mais ton père n'en soupe pas moins. Veux-tu   25
souper avec lui ? Je n'ai pas mangé ta part ; je me doutais
bien que tu la réclamerais !

— Marie, je veux que tu manges, s'écria le laboureur, je
ne mangerai plus. Je suis un vorace, un grossier : toi, tu

te prives pour nous, ce n'est pas juste, j'en ai honte.   Tiens,
ça m'ôte la faim ; je ne veux pas que mon fils soupe, si tu
ne soupes pas.

— Laissez-nous tranquilles, répondit la petite Marie, vous
n'avez pas la clef de nos appétits.   Le mien est fermé
aujourd'hui, mais celui de votre Pierre est ouvert comme
celui d'un petit loup.   Tenez, voyez comme il s'y prend !
Oh ! ce sera aussi un rude laboureur !

En effet, Petit-Pierre montra bientôt de qui il était fils,
et à peine éveillé, ne comprenant ni où il était, ni comment
il y était venu, il se mit à dévorer.   Puis, quand il n'eut
plus faim, se trouvant excité comme il arrive aux enfants
qui rompent leurs habitudes, il eut plus d'esprit, plus de
curiosité et plus de raisonnement qu'à l'ordinaire.   Il se
fit expliquer où il était, et quand il sut que c'était au milieu
d'un bois, il eut un peu peur.

— Y a-t-il des méchantes bêtes dans ce bois, demanda-t-il
à son père.

— Non, fit le père, il n'y en a point.   Ne crains rien.

— Tu as donc menti quand tu m'as dit que si j'allais avec
toi dans les grands bois les loups m'emporteraient ?

— Voyez-vous ce raisonneur ? dit Germain embarrassé.

— Il a raison, reprit la petite Marie, vous lui avez dit
cela : il a bonne mémoire, il s'en souvient.   Mais apprends,
mon petit Pierre, que ton père ne ment jamais.   Nous
avons passé les grands bois pendant que tu dormais, et
nous sommes à présent dans les petits bois, où il n'y a pas
de méchantes bêtes.

— Les petits bois sont-ils bien loin des grands ?

— Assez loin ;   d'ailleurs les loups ne sortent pas des
grands bois.   Et puis, s'il en venait ici, ton père les tuerait.

— Et toi aussi, petite Marie ?

— Et nous aussi, car tu nous aiderais bien, mon Pierre ?
Tu n'as pas peur, toi ?   Tu taperais bien dessus !

—Oui, oui, dit l'enfant enorgueilli, en prenant une pose
héroïque, nous les tuerions !

—Il n'y a personne comme toi pour parler aux enfants,
dit Germain à la petite Marie, et pour leur faire entendre
raison. Il est vrai qu'il n'y a pas longtemps que tu étais
toi-même un petit enfant, et tu te souviens de ce que te
disait ta mère. Je crois bien que plus on est jeune, mieux
on s'entend avec ceux qui le sont. J'ai grand'peur qu'une
femme de trente ans, qui ne sait pas encore ce que c'est
que d'être mère, n'apprenne avec peine à babiller et à raisonner avec des marmots.

—Pourquoi donc pas, Germain ? Je ne sais pourquoi vous
avez une mauvaise idée touchant cette femme ; vous en
reviendrez !

—Au diable la femme ! dit Germain. Je voudrais en
être revenu pour n'y plus retourner. Qu'ai-je besoin d'une
femme que je ne connais pas !

—Mon petit père, dit l'enfant, pourquoi donc est-ce
que tu parles toujours de ta femme aujourd'hui, puisqu'elle
est morte ? . . .

—Hélas ! tu ne l'as donc pas oubliée, toi, ta pauvre
chère mère ?

—Non, puisque je l'ai vu mettre dans une belle boîte
de bois blanc, et que ma grand'mère m'a conduit auprès
pour l'embrasser et lui dire adieu ! . . . Elle était toute
blanche et toute froide, et tous les soirs ma tante me fait
prier le bon Dieu pour qu'elle aille se réchauffer avec lui
dans le ciel. Crois-tu qu'elle y soit, à présent ?

—Je l'espère, mon enfant ; mais il faut toujours prier, ça
fait voir à ta mère que tu l'aimes.

—Je vas dire ma prière, reprit l'enfant ; je n'ai pas
pensé à la dire ce soir. Mais je ne peux pas la dire tout
seul ; j'en oublie toujours un peu. Il faut que la petite
Marie m'aide.

—Oui, mon Pierre, je vas t'aider, dit la jeune fille.
Viens là, te mettre à genoux sur moi.

L'enfant s'agenouilla sur la jupe de la jeune fille, joignit
ses petites mains, et se mit à réciter sa prière, d'abord avec
5 attention et ferveur, car il savait très bien le commencement ; puis avec plus de lenteur et d'hésitation, et enfin
répétant mot à mot ce que lui dictait la petite Marie,
lorsqu'il arriva à cet endroit de son oraison, où le sommeil
le gagnant chaque soir, il n'avait jamais pu l'apprendre
10 jusqu'au bout. Cette fois encore, le travail de l'attention
et la monotonie de son propre accent produisirent leur effet
accoutumé, il ne prononça plus qu'avec effort les dernières
syllabes, et encore après se les être fait répéter trois fois ; sa
tête s'appesantit et se pencha sur la poitrine de Marie : ses
15 mains se détendirent, se séparèrent et retombèrent ouvertes
sur ses genoux. A la lueur du feu du bivouac, Germain
regarda son petit ange assoupi sur le cœur de la jeune fille,
qui, le soutenant dans ses bras et réchauffant ses cheveux
blonds de sa pure haleine, s'était laissée aller aussi à une
20 rêverie pieuse, et priait mentalement pour l'âme de Catherine.

Germain fut attendri, chercha ce qu'il pourrait dire à la
petite Marie pour lui exprimer ce qu'elle lui inspirait d'es-
time et de reconnaissance, mais ne trouva rien qui pût rendre sa pensée. Il s'approcha d'elle pour embrasser son fils
25 qu'elle tenait toujours pressé contre son sein, et il eut peine
à détacher ses lèvres du front du petit Pierre.

—Vous l'embrassez trop fort, lui dit Marie en repous-
sant doucement la tête du laboureur, vous allez le réveiller.
Laissez-moi le recoucher, puisque le voilà reparti pour les
30 rêves du paradis.

L'enfant se laissa coucher, mais en s'étendant sur la peau
de chèvre du bât, il demanda s'il était sur la Grise. Puis,
ouvrant ses grands yeux bleus, et les tenant fixés vers les
branches pendant une minute, il parut rêver tout éveillé, ou

être frappé d'une idée qui avait glissé dans son esprit durant le jour, et qui s'y formulait à l'approche du sommeil. "Mon petit père, dit-il, si tu veux me donner une autre mère, je veux que ce soit la petite Marie."

Et, sans attendre de réponse, il ferma les yeux et s'endormit. 5

X

MALGRÉ LE FROID

La petite Marie ne parut pas faire d'autre attention aux paroles bizarres de l'enfant que de les regarder comme une preuve d'amitié ; elle l'enveloppa avec soin, ranima le feu, et, comme le brouillard endormi sur la mare voisine ne 10 paraissait nullement près de s'éclaircir, elle conseilla à Germain de s'arranger auprès du feu pour faire un somme.

— Je vois que cela vous vient déjà, lui dit-elle, car vous ne dites plus mot, et vous regardez la braise comme votre petit faisait tout à l'heure. Allons, dormez, je veillerai à 15 l'enfant et à vous.

— C'est toi qui dormiras, répondit le laboureur, et moi je vous garderai tous les deux, car jamais je n'ai eu moins envie de dormir ; j'ai cinquante idées dans la tête.

— Cinquante, c'est beaucoup, dit la fillette avec une inten- 20 tion un peu moqueuse ; il y a tant de gens qui seraient heureux d'en avoir une !

— Eh bien ! si je ne suis pas capable d'en avoir cinquante, j'en ai du moins une qui ne me lâche pas depuis une heure.

— Et je vas vous la dire, ainsi que celles que vous aviez 25 auparavant.

— Eh bien ! oui, dis-la si tu la devines, Marie ; dis-la moi toi-même, ça me fera plaisir.

— Il y a une heure, reprit-elle, vous aviez l'idée de manger . . . et à présent vous avez l'idée de dormir. 30

— Marie, je ne suis qu'un bouvier, mais vraiment tu me prends pour un bœuf. Tu es une méchante fille, et je vois bien que tu ne veux point causer avec moi. Dors donc, cela vaudra mieux que de critiquer un homme qui n'est pas gai.

5　— Si vous voulez causer, causons, dit la petite fille en se couchant à demi auprès de l'enfant, et en appuyant sa tête contre le bât. Vous êtes en train de vous tourmenter, Germain, et en cela vous ne montrez pas beaucoup de courage pour un homme. Que ne dirais-je pas, moi, si je ne me 10　défendais pas de mon mieux contre mon propre chagrin ?

— Oui, sans doute, et c'est là justement ce qui m'occupe, ma pauvre enfant ! Tu vas vivre loin de tes parents et dans un vilain pays de landes et de marécages, où tu attraperas les fièvres d'automne, où les bêtes à laine ne profitent pas, 15　ce qui chagrine toujours une bergère qui a bonne intention ; enfin tu seras au milieu d'étrangers qui ne seront peut-être pas bons pour toi, qui ne comprendront pas ce que tu vaux. Tiens, ça me fait plus de peine que je ne peux te le dire, et j'ai envie de te ramener chez ta mère au lieu d'aller à Fourche.

20　— Vous parlez avec beaucoup de bonté, mais sans raison, mon pauvre Germain ; on ne doit pas être lâche pour ses amis, et, au lieu de me montrer le mauvais côté de mon sort, vous devriez m'en montrer le bon, comme vous faisiez quand nous avons goûté chez la Rebec.

25　— Que veux-tu ! ça me paraissait ainsi dans ce moment-là, et à présent ça me paraît autrement. Tu ferais mieux de trouver un mari.

— Ça ne se peut pas, Germain, je vous l'ai dit ; et comme ça ne se peut pas, je n'y pense pas.

30　— Mais enfin si ça se trouvait ? Peut-être que si tu voulais me dire comme tu souhaiterais qu'il fût, je parviendrais à imaginer quelqu'un.

— Imaginer n'est pas trouver. Moi, je n'imagine rien puisque c'est inutile.

— Tu n'aurais pas l'idée de trouver un riche?

— Non, bien sûr, puisque je suis pauvre comme Job.

— Mais s'il était à son aise, ça ne te ferait pas de peine d'être bien logée, bien nourrie, bien vêtue et dans une famille de braves gens qui te permettrait d'assister ta mère?

— Oh! pour cela, oui! assister ma mère est tout mon souhait.

— Et si cela se rencontrait, quand même l'homme ne serait pas de la première jeunesse, tu ne ferais pas trop la difficile?

— Ah! pardonnez-moi, Germain. C'est justement la chose à laquelle je tiendrais. Je n'aimerais pas un vieux!

— Un vieux, sans doute; mais, par exemple, un homme de mon âge?

— Votre âge est vieux pour moi, Germain; j'aimerais l'âge de Bastien, quoique Bastien ne soit pas si joli homme que vous.

— Tu aimerais mieux Bastien le porcher? dit Germain avec humeur. Un garçon qui a les yeux faits comme les bêtes qu'il mène?

— Je passerais par-dessus ses yeux, à cause de ses dix-huit ans.

Germain se sentit horriblement jaloux. — Allons, dit-il, je vois que tu en tiens pour Bastien. C'est une drôle d'idée, pas moins.

— Oui, ce serait une drôle d'idée, répondit la petite Marie en riant aux éclats, et ça ferait un drôle de mari. On lui ferait accroire tout ce qu'on voudrait. Par exemple, l'autre jour, j'avais ramassé une tomate dans le jardin à monsieur le curé; je lui ai dit que c'était une belle pomme rouge, et il a mordu dedans comme un goulu. Si vous aviez vu quelle grimace! Mon Dieu, qu'il était vilain!

— Tu ne l'aimes donc pas, puisque tu te moques de lui?

— Ce ne serait pas une raison. Mais je ne l'aime pas: il est brutal avec sa petite sœur, et il est malpropre.

— Eh bien ! tu ne te sens pas portée pour quelque autre ?

— Qu'est-ce que ça vous fait, Germain ?

— Ça ne me fait rien, c'est pour parler. Je vois, petite fille, que tu as déjà un galant dans la tête.

— Non, Germain, vous vous trompez, je n'en ai pas encore ; ça pourra venir plus tard : mais puisque je ne me marierai que quand j'aurai un peu amassé, je suis destinée à me marier tard et avec un vieux.

— Eh bien, prends-en un vieux tout de suite.

— Non pas ! quand je ne serai plus jeune, ça me sera égal ; à présent, ce serait différent.

— Je vois bien, Marie, que je te déplais : c'est assez clair, dit Germain avec dépit, et sans peser ses paroles.

La petite Marie ne répondit pas. Germain se pencha vers elle : elle dormait ; elle était tombée vaincue et comme foudroyée par le sommeil, comme font les enfants qui dorment déjà lorsqu'ils babillent encore.

Germain fut content qu'elle n'eût pas fait attention à ses dernières paroles ; il reconnut qu'elles n'étaient point sages, et il lui tourna le dos pour se distraire et changer de pensée.

Mais il eut beau faire, il ne put s'endormir, ni songer à autre chose qu'à ce qu'il venait de dire. Il tourna vingt fois autour du feu, il s'éloigna, il revint ; enfin, se sentant aussi agité que s'il eût avalé de la poudre à canon, il s'appuya contre l'arbre qui abritait les deux enfants et les regarda dormir.

— Je ne sais pas comment je ne m'étais jamais aperçu, pensait-il, que cette petite Marie est la plus jolie fille du pays !... Elle n'a pas beaucoup de couleur, mais elle a un petit visage frais comme une rose de buissons ! Quelle gentille bouche et quel mignon petit nez !... Elle n'est pas grande pour son âge, mais elle est faite comme une petite caille et légère comme un petit pinson !... Je ne sais pas pourquoi on fait tant de cas chez nous d'une grande et grosse

femme bien vermeille. . . . La mienne était plutôt mince et
pâle, et elle me plaisait par-dessus tout. . . . Celle-ci est
toute délicate, mais elle ne s'en porte pas plus mal, et elle
est jolie à voir comme un chevreau blanc ! . . . Et puis, quel
air doux et honnête ! comme on lit son bon cœur dans ses 5
yeux, même lorsqu'ils sont fermés pour dormir ! . . . Quant
à de l'esprit, elle en a plus que ma chère Catherine n'en
avait, il faut en convenir, et on ne s'ennuierait pas avec
elle. . . . C'est gai, c'est sage, c'est laborieux, c'est aimant,
et c'est drôle. Je ne vois pas ce qu'on pourrait souhaiter 10
de mieux. . . .

Mais qu'ai-je à m'occuper de tout cela ? reprenait Germain, en tâchant de regarder d'un autre côté. Mon beau-
père ne voudrait pas en entendre parler, et toute la famille
me traiterait de fou ! . . . D'ailleurs, elle-même ne voudrait 15
pas de moi, la pauvre enfant ! . . . Elle me trouve trop
vieux : elle me l'a dit. . . . Elle n'est pas intéressée, elle se
soucie peu d'avoir encore de la misère et de la peine, de
porter de pauvres habits, et de souffrir de la faim pendant
deux ou trois mois de l'année, pourvu qu'elle contente son 20
cœur un jour, et qu'elle puisse se donner à un mari qui lui
plaira . . . elle a raison, elle ! je ferais de même à sa place
. . . et, dès à présent, si je pouvais suivre ma volonté, au
lieu de m'embarquer dans un mariage qui ne me sourit
pas, je choisirais une fille à mon gré. . . . 25

Plus Germain cherchait à raisonner et à se calmer, moins
il en venait à bout. Il s'en allait à vingt pas de là, se perdre
dans le brouillard ; et puis, tout d'un coup, il se retrouvait
à genoux à côté des deux enfants endormis. Une fois même
il voulut embrasser Petit-Pierre, qui avait un bras passé 30
autour du cou de Marie, et il se trompa si bien que Marie,
sentant une haleine chaude comme le feu courir sur ses
lèvres, se réveilla et le regarda d'un air tout effaré, ne comprenant rien du tout à ce qui se passait en lui.

— Je ne vous voyais pas, mes pauvres enfants ! dit Germain en se retirant bien vite.   J'ai failli tomber sur vous et
vous faire du mal.

La petite Marie eut la candeur de le croire, et se rendor-
5 mit. Germain passa de l'autre côté du feu, et jura qu'il
n'en bougerait jusqu'à ce qu'elle fût réveillée. Il tint
parole, mais ce ne fut pas sans peine. Il crut qu'il en
deviendrait fou.

Enfin, vers minuit, le brouillard se dissipa, et Germain
10 put voir les étoiles briller à travers les arbres. La lune se
dégagea aussi des vapeurs qui la couvraient et commença
à semer des diamants sur la mousse humide. Le tronc des
chênes restait dans une majestueuse obscurité ; mais, un peu
plus loin, les tiges blanches des bouleaux semblaient une
15 rangée de fantômes dans leurs suaires. Le feu se reflétait
dans la mare ; et les grenouilles, commençant à s'y habituer,
hasardaient quelques notes grêles et timides ; les branches
anguleuses des vieux arbres, hérissées de pâles lichens,
s'étendaient et s'entre-croisaient comme de grands bras
20 décharnés sur la tête de nos voyageurs ; c'était un bel
endroit, mais si désert et si triste, que Germain, las d'y
souffrir, se mit à chanter et à jeter des pierres dans l'eau
pour s'étourdir sur l'ennui effrayant de la solitude. Il dési-
rait aussi éveiller la petite Marie ; et lorsqu'il vit qu'elle se
25 levait et regardait le temps, il lui proposa de se remettre en
route.

— Dans deux heures, lui dit-il, l'approche du jour rendra
l'air si froid, que nous ne pourrons plus y tenir, malgré
notre feu. . . . A présent, on voit à se conduire, et nous
30 trouverons bien une maison qui nous ouvrira, ou du moins
quelque grange où nous pourrons passer à couvert le reste
de la nuit.

Marie n'avait pas de volonté ; et, quoiqu'elle eût encore
grande envie de dormir, elle se disposa à suivre Germain.

Celui-ci prit son fils dans ses bras sans le réveiller, et
voulut que Marie s'approchât de lui pour se cacher dans
son manteau, puisqu'elle ne voulait pas reprendre sa cape
roulée autour du petit Pierre.

Quand il sentit la jeune fille si près de lui, Germain, qui 5
s'était distrait et égayé un instant, recommença à perdre la
tête. Deux ou trois fois il s'éloigna brusquement, et la laissa
marcher seule. Puis voyant qu'elle avait peine à le suivre,
il l'attendait, l'attirait vivement près de lui, et la pressait si
fort, qu'elle en était étonnée et même fâchée sans oser le dire. 10

Comme ils ne savaient point du tout de quelle direction
ils étaient partis, ils ne savaient pas celle qu'ils suivaient;
si bien, qu'ils remontèrent encore une fois tout le bois, se
retrouvèrent, de nouveau, en face de la lande déserte, revinrent sur leurs pas, et, après avoir tourné et marché longtemps, 15
ils aperçurent de la clarté à travers les branches.

— Bon! voici une maison, dit Germain, et des gens déjà
éveillés, puisque le feu est allumé. Il est donc bien tard?

Mais ce n'était pas une maison : c'était le feu de bivouac
qu'ils avaient couvert en partant, et qui s'était rallumé à la 20
brise. . . .

Ils avaient marché pendant deux heures pour se retrouver
au point de départ.

XI

A LA BELLE ÉTOILE

— Pour le coup j'y renonce! dit Germain en frappant du
pied. On nous a jeté un sort, c'est bien sûr, et nous ne 25
sortirons d'ici qu'au grand jour. Il faut que cet endroit
soit endiablé.

— Allons, allons, ne nous fâchons pas, dit Marie, et
prenons-en notre parti. Nous ferons un plus grand feu,
l'enfant est si bien enveloppé qu'il ne risque rien, et pour 30

passer une nuit dehors nous n'en mourrons point.   Où avez-
vous caché la bâtine, Germain ?   Au milieu des grands houx,
grand étourdi !   C'est commode pour aller la reprendre !

— Tiens l'enfant, prends-le, que je retire son lit des brous-
5 sailles ; je ne veux pas que tu te piques les mains.

— C'est fait, voici le lit, et quelques piqûres ne sont pas
des coups de sabre, reprit la brave petite fille.

Elle procéda de nouveau au coucher du petit Pierre, qui
était si bien endormi cette fois qu'il ne s'aperçut en rien de
10 ce nouveau voyage.   Germain mit tant de bois au feu que
toute la forêt en resplendit à la ronde : mais la petite Marie
n'en pouvait plus, et quoiqu'elle ne se plaignît de rien, elle
ne se soutenait plus sur ses jambes.   Elle était pâle et sés
dents claquaient de froid et de faiblesse.   Germain la prit
15 dans ses bras pour la réchauffer ; et l'inquiétude, la compassion, des mouvements de tendresse irrésistibles s'empa-
rant de son cœur, sa langue se délia comme par miracle,
et toute honte cessant :

— Marie, lui dit-il, tu me plais, et je suis bien malheureux
20 de ne pas te plaire.   Si tu voulais m'accepter pour ton mari,
il n'y aurait ni beau-père, ni parents, ni voisins, ni conseils
qui pussent m'empêcher de me donner à toi.   Je sais que
tu rendrais mes enfants heureux, que tu leur apprendrais à
respecter le souvenir de leur mère, et, ma conscience étant
25 en repos, je pourrais contenter mon cœur.   J'ai toujours eu
de l'amitié pour toi, et à présent je me sens si amoureux
que si tu me demandais de faire toute ma vie tes mille
volontés, je te le jurerais sur l'heure.   Vois, je t'en prie,
comme je t'aime, et tâche d'oublier mon âge.   Pense que
30 c'est une fausse idée qu'on se fait quand on croit qu'un
homme de trente ans est vieux.   D'ailleurs je n'ai que
vingt-huit ans ! une jeune fille craint de se faire critiquer en
prenant un homme qui a dix ou douze ans de plus qu'elle,
parce que ce n'est pas la coutume du pays ; mais j'ai entendu

dire que dans d'autres pays on ne regardait point à cela ;
qu'au contraire on aimait mieux donner pour soutien, à une
jeunesse, un homme raisonnable et d'un courage bien
éprouvé qu'un jeune gars qui peut se déranger, et, de bon
sujet qu'on le croyait, devenir un mauvais garnement. D'ail- 5
leurs, les années ne font pas toujours l'âge. Cela dépend
de la force et de la santé qu'on a. Quand un homme est
usé par trop de travail et de misère ou par la mauvaise conduite, il est vieux avant vingt-cinq ans. Au lieu que moi . . .
Mais tu ne m'écoutes pas, Marie. 10

— Si fait, Germain, je vous entends bien, répondit la
petite Marie, mais je songe à ce que m'a toujours dit ma
mère : c'est qu'une femme de soixante ans est bien à plaindre quand son mari en a soixante-dix ou soixante-quinze,
et qu'il ne peut plus travailler pour la nourrir. Il devient 15
infirme, et il faut qu'elle le soigne à l'âge où elle commen-
cerait elle-même à avoir grand besoin de ménagement et de
repos. C'est ainsi qu'on arrive à finir sur la paille.

— Les parents ont raison de dire cela, j'en conviens,
Marie, reprit Germain ; mais enfin ils sacrifieraient tout le 20
temps de la jeunesse, qui est le meilleur, à prévoir ce qu'on
deviendra à l'âge où l'on n'est plus bon à rien, et où il est
indifférent de finir d'une manière ou d'une autre. Mais
moi, je ne suis pas dans le danger de mourir de faim sur
mes vieux jours. Je suis à même d'amasser quelque chose, 25
puisque vivant avec les parents de ma femme, je travaille
beaucoup et ne dépense rien. D'ailleurs, je t'aimerai tant,
vois-tu, que ça m'empêchera de vieillir. On dit que quand
un homme est heureux, il se conserve, et je sens bien que je
suis plus jeune que Bastien pour t'aimer ; car il ne t'aime 30
pas, lui, il est trop bête, trop enfant pour comprendre comme
tu es jolie et bonne, et faite pour être recherchée. Allons,
Marie, ne me déteste pas, je ne suis pas un méchant
homme : j'ai rendu ma Catherine heureuse, elle a dit devant

Dieu à son lit de mort qu'elle n'avait jamais eu de moi que
du contentement, et elle m'a recommandé de me remarier.
Il semble que son esprit ait parlé ce soir à son enfant, au
moment où il s'est endormi. Est-ce que tu n'as pas entendu
5 ce qu'il disait? et comme sa petite bouche tremblait, pendant que ses yeux regardaient en l'air quelque chose que
nous ne pouvions pas voir ! Il voyait sa mère, sois-en sûre,
et c'était elle qui lui faisait dire qu'il te voulait pour la
remplacer.

10   — Germain, répondit Marie, tout étonnée et toute pensive,
vous parlez honnêtement et tout ce que vous dites est vrai.
Je suis sûre que je ferais bien de vous aimer, si ça ne mécon-
tentait pas trop vos parents : mais que voulez-vous que j'y
fasse ? le cœur ne m'en dit pas pour vous. Je vous aime
15 bien, mais quoique votre âge ne vous enlaidisse pas, il me
fait peur. Il me semble que vous êtes quelque chose pour
moi, comme un oncle ou un parrain ; que je vous dois le
respect, et que vous auriez des moments où vous me traite-
riez comme une petite fille plutôt que comme votre femme
20 et votre égale. Enfin, mes camarades se moqueraient peut-
être de moi, et quoique ça soit une sottise de faire attention
à cela, je crois que je serais honteuse et un peu triste le
jour de mes noces.

— Ce sont là des raisons d'enfant ; tu parles tout à fait
25 comme un enfant, Marie !

— Eh bien ! oui, je suis un enfant, dit-elle, et c'est à cause
de cela que je crains un homme trop raisonnable. Vous
voyez bien que je suis trop jeune pour vous, puisque déjà
vous me reprochez de parler sans raison ! Je ne puis pas
30 avoir plus de raison que mon âge n'en comporte.

— Hélas ! mon Dieu, que je suis donc à plaindre d'être
si maladroit et de dire si mal ce que je pense ! s'écria Germain. Marie, vous ne m'aimez pas, voilà le fait ; vous me
trouvez trop simple et trop lourd. Si vous m'aimiez un peu,

vous ne verriez pas si clairement mes défauts. Mais vous
ne m'aimez pas, voilà !

— Eh bien ! ce n'est pas ma faute, répondit-elle, un peu
blessée de ce qu'il ne la tutoyait plus ; j'y fais mon possible
en vous écoutant, mais plus je m'y essaie et moins je peux
me mettre dans la tête que nous devions être mari et femme.

Germain ne répondit pas. Il mit sa tête dans ses deux
mains et il fut impossible à la petite Marie de savoir s'il
pleurait, s'il boudait, ou s'il était endormi. Elle fut un peu
inquiète de le voir si morne et de ne pas deviner ce qui
roulait dans son esprit ; mais elle n'osa pas lui parler davantage, et comme elle était trop étonnée de ce qui venait de
se passer pour avoir envie de se rendormir, elle attendit le
jour avec impatience, soignant toujours le feu et veillant
l'enfant, dont Germain paraissait ne plus se souvenir. Cependant Germain ne dormait point ; il ne réfléchissait pas à
son sort. Il souffrait, il avait une montagne d'ennui sur le
cœur. Il aurait voulu être mort. Tout paraissait devoir
tourner mal pour lui, et s'il eût pu pleurer il ne l'aurait pas
fait à demi. Mais il y avait un peu de colère contre lui-
même, mêlée à sa peine, et il étouffait sans pouvoir et sans
vouloir se plaindre.

Quand le jour fut venu et que les bruits de la campagne
l'annoncèrent à Germain, il sortit son visage de ses mains
et se leva. Il vit que la petite Marie n'avait pas dormi non
plus, mais il ne sut rien lui dire pour marquer sa sollicitude.
Il était tout à fait découragé. Il cacha de nouveau le bât
de la Grise dans les buissons, prit son sac sur son épaule,
et tenant son fils par la main :

— A présent, Marie, dit-il, nous allons tâcher d'achever
notre voyage. Veux-tu que je te conduise aux Ormeaux ?

— Nous sortirons du bois ensemble, lui répondit-elle, et
quand nous saurons où nous sommes, nous irons chacun de
notre côté.

Germain ne répondit pas. Il était blessé de ce que la
jeune fille ne lui demandait pas de la mener jusqu'aux
Ormeaux, et il ne s'apercevait pas qu'il le lui avait offert
d'un ton qui semblait provoquer un refus.

5   Un bûcheron qu'ils rencontrèrent au bout de deux cents
pas les mit dans le bon chemin, et leur dit qu'après avoir
passé la grande prairie ils n'avaient qu'à prendre, l'un tout
droit, l'autre sur la gauche, pour gagner leurs différents
gîtes, qui étaient d'ailleurs si voisins qu'on voyait distincte-
10 ment les maisons de Fourche de la ferme des Ormeaux, et
réciproquement.

Puis, quand ils eurent remercié et dépassé le bûcheron,
celui-ci les rappela pour leur demander s'ils n'avaient pas
perdu un cheval.

15 — J'ai trouvé, leur dit-il, une belle jument grise dans ma
cour, où peut-être le loup l'aura forcée de chercher un refuge.
Mes chiens ont *jappé à nuitée*, et au point du jour j'ai vu la
bête chevaline sous mon hangar ; elle y est encore. Allons-y,
et si vous la reconnaissez, emmenez-la.

20 Germain ayant donné d'avance le signalement de la Grise
et s'étant convaincu qu'il s'agissait bien d'elle, se mit en
route pour aller rechercher son bât. La petite Marie lui
offrit alors de conduire son enfant aux Ormeaux, où il viendrait le reprendre lorsqu'il aurait fait son entrée à Fourche.

25 — Il est un peu malpropre après la nuit que nous avons
passée, dit-elle. Je nettoierai ses habits, je laverai son joli
museau, je le peignerai, et quand il sera beau et brave, vous
pourrez le présenter à votre nouvelle famille.

— Et qui te dit que je veuille aller à Fourche ? répondit
30 Germain avec humeur. Peut-être n'irai-je pas !

— Si fait, Germain, vous devez y aller, vous irez, reprit
la jeune fille.

— Tu es bien pressée que je me marie avec une autre,
afin d'être sûre que je ne t'ennuierai plus ?

— Allons, Germain, ne pensez plus à cela : c'est une idée
qui vous est venue dans la nuit, parce que cette mauvaise
aventure avait un peu dérangé vos esprits. Mais à présent
il faut que la raison vous revienne ; je vous promets d'oublier
ce que vous m'avez dit et de n'en jamais parler à personne. 5

— Eh ! parles-en si tu veux. Je n'ai pas l'habitude de
renier mes paroles. Ce que je t'ai dit était vrai, honnête,
et je n'en rougirai devant personne.

— Oui ; mais si votre femme savait qu'au moment d'arriver vous avez pensé à une autre, ça la disposerait mal 10
pour vous. Ainsi faites attention aux paroles que vous
direz maintenant ; ne me regardez pas comme ça devant
le monde, avec un air tout singulier. Songez au père Maurice qui compte sur votre obéissance, et qui serait bien en
colère contre moi si je vous détournais de faire sa volonté. 15
Bonjour, Germain ; j'emmène Petit-Pierre afin de vous forcer
d'aller à Fourche. C'est un gage que je vous garde.

— Tu veux donc aller avec elle ? dit le laboureur à son
fils, en voyant qu'il s'attachait aux mains de la petite Marie,
et qu'il la suivait résolument. 20

— Oui, père, répondit l'enfant qui avait écouté et compris à sa manière ce qu'on venait de dire sans méfiance
devant lui. Je m'en vais avec ma Marie mignonne : tu viendras me chercher quand tu auras fini de te marier ; mais je
veux que Marie reste ma petite mère. 25

— Tu vois bien qu'il le veut, lui ! dit Germain à la jeune
fille. Écoute, Petit-Pierre, ajouta-t-il, moi je le souhaite,
qu'elle soit ta mère et qu'elle reste toujours avec toi : c'est
elle qui ne le veut pas. Tâche qu'elle t'accorde ce qu'elle
me refuse. 30

— Sois tranquille, mon père, je lui ferai dire oui : la petite
Marie fait toujours ce que je veux.

Il s'éloigna avec la jeune fille. Germain resta seul, plus
triste, plus irrésolu que jamais.

XII

LA LIONNE DU VILLAGE

Cependant, quand il eut réparé le désordre du voyage
dans ses vêtements et dans l'équipage de son cheval,
quand il fut monté sur la Grise et qu'on lui eut indiqué le
chemin de Fourche, il pensa qu'il n'y avait plus à reculer,
5 et qu'il fallait oublier cette nuit d'agitations comme un rêve
dangereux.

Il trouva le père Léonard au seuil de sa maison blanche,
assis sur un beau banc de bois peint en vert-épinard. Il y
avait six marches de pierre disposées en perron, ce qui faisait
10 voir que la maison avait une cave. Le mur du jardin et de
la chènevière était crépi à chaux et à sable. C'était une
belle habitation ; il s'en fallait de peu qu'on ne la prît pour
une maison de bourgeois.

Le futur beau-père vint au-devant de Germain, et après
15 lui avoir demandé, pendant cinq minutes, des nouvelles de
toute sa famille, il ajouta la phrase consacrée à questionner
poliment ceux qu'on rencontre, sur le but de leur voyage :
Vous êtes donc venu pour vous promener par ici ?

— Je suis venu vous voir, répondit le laboureur, et vous
20 présenter ce petit cadeau de gibier de la part de mon beau-
père, en vous disant, aussi de sa part, que vous devez savoir
dans quelles intentions je viens chez vous.

— Ah ! ah ! dit le père Léonard en riant et en frappant
sur son estomac rebondi, je vois, j'entends, j'y suis ! Et,
25 clignant de l'œil, il ajouta : Vous ne serez pas le seul à faire
vos compliments, mon jeune homme. Il y en a déjà trois à
la maison qui attendent comme vous. Moi, je ne renvoie
personne, et je serais bien embarrassé de donner tort ou
raison à quelqu'un, car ce sont tous de bons partis. · Pour-
30 tant, à cause du père Maurice et de la qualité des terres que

vous cultivez, j'aimerais mieux que ce fût vous.   Mais ma
fille est majeure et maîtresse de son bien ; elle agira donc
selon son idée.   Entrez, faites-vous connaître ; je souhaite
que vous ayez le bon numéro !

— Pardon, excuse, répondit Germain, fort surpris de se 5
trouver en surnuméraire là où il avait compté d'être seul.   Je
ne savais pas que votre fille fût déjà pourvue de prétendants,
et je n'étais pas venu pour la disputer aux autres.

— Si vous avez cru que, parce que vous tardiez à venir,
répondit, sans perdre sa bonne humeur, le père Léonard, 10
ma fille se trouvait au dépourvu, vous vous êtes grandement
trompé, mon garçon.   La Catherine a de quoi attirer les
épouseurs, et elle n'aura que l'embarras du choix.   Mais,
entrez à la maison, vous dis-je, et ne perdez pas courage.
C'est une femme qui vaut la peine d'être disputée. 15

Et poussant Germain par les épaules avec une rude gaîté :
— Allons, Catherine, s'écria-t-il en entrant dans la maison,
en voilà un de plus !

Cette manière joviale mais grossière d'être présenté à la
veuve, en présence de ses autres soupirants, acheva de 20
troubler et de mécontenter le laboureur.   Il se sentit gauche
et resta quelques instants sans oser lever les yeux sur la
belle et sur sa cour.

La veuve Guérin était bien faite et ne manquait pas de
fraîcheur.   Mais elle avait une expression de visage et une 25
toilette qui déplurent tout d'abord à Germain.   Elle avait
l'air hardi et content d'elle-même, et ses cornettes garnies
d'un triple rang de dentelle, son tablier de soie, et son fichu
de blonde noire étaient peu en rapport avec l'idée qu'il s'était
faite d'une veuve sérieuse et rangée. 30

Cette recherche d'habillement et ces manières dégagées
la lui firent trouver vieille et laide, quoiqu'elle ne fût
ni l'un ni l'autre.   Il pensa qu'une si jolie parure et des
manières si enjouées siéraient à l'âge et à l'esprit fin de

la petite Marie, mais que cette veuve avait la plaisanterie
lourde et hasardée, et qu'elle portait sans distinction ses
beaux atours.

Les trois prétendants étaient assis à une table chargée de
5 vins et de viandes, qui étaient là en permanence pour eux
toute la matinée du dimanche ; car le père Léonard aimait à
faire montre de sa richesse, et la veuve n'était pas fâchée
non plus d'étaler sa belle vaisselle, et de tenir table comme
une rentière. Germain, tout simple et confiant qu'il était,
10 observa les choses avec assez de pénétration, et pour
la première fois de sa vie il se tint sur la défensive en
trinquant. Le père Léonard l'avait forcé de prendre place
avec ses rivaux, et, s'asseyant lui-même vis-à-vis de lui,
il le traitait de son mieux, et s'occupait de lui avec pré-
15 dilection. Le cadeau de gibier, malgré la brèche que
Germain y avait faite pour son propre compte, était encore
assez copieux pour produire de l'effet. La veuve y parut
sensible, et les prétendants y jetèrent un coup d'œil de
dédain.

20 Germain se sentait mal à l'aise en cette compagnie et ne
mangeait pas de bon cœur. Le père Léonard l'en plaisanta.
— Vous voilà bien triste, lui dit-il, et vous boudez contre
votre verre. Il ne faut pas que l'amour vous coupe l'appétit,
car un galant à jeun ne sait point trouver de jolies paroles
25 comme celui qui s'est éclairci les idées avec une petite pointe
de vin. Germain fut mortifié qu'on le supposât déjà amoureux, et l'air maniéré de la veuve, qui baissa les yeux en
souriant, comme une personne sûre de son fait, lui donna
l'envie de protester contre sa prétendue défaite ; mais il
30 craignit de paraître incivil, sourit et prit patience.

Les galants de la veuve lui parurent trois rustres. Il
fallait qu'ils fussent bien riches pour qu'elle admît leurs
prétentions. L'un avait plus de quarante ans et était quasi
aussi gros que le père Léonard ; un autre était borgne et

buvait tant qu'il en était abruti ; le troisième était jeune et
assez joli garçon ; mais il voulait faire de l'esprit et disait
des choses si plates que cela faisait pitié. Pourtant la
veuve en riait comme si elle eût admiré toutes ces sottises,
et, en cela, elle ne faisait pas preuve de goût. Germain 5
crut d'abord qu'elle en était coiffée ; mais bientôt il
s'aperçut qu'il était lui-même encouragé d'une manière
particulière, et qu'on souhaitait qu'il se livrât davantage.
Ce lui fut une raison pour se sentir et se montrer plus froid
et plus grave.   10

L'heure de la messe arriva, et on se leva de table pour s'y
rendre ensemble. Il fallait aller jusqu'à Mers, à une bonne
demi-lieue de là, et Germain était si fatigué qu'il eût fort
souhaité avoir le temps de faire un somme auparavant ; mais
il n'avait pas coutume de manquer la messe, et il se mit en 15
route avec les autres.

Les chemins étaient couverts de monde, et la veuve marchait d'un air fier, escortée de ses trois prétendants, donnant
le bras tantôt à l'un, tantôt à l'autre, se rengorgeant et portant
haut la tête. Elle eût fort souhaité produire le quatrième 20
aux yeux des passants ; mais Germain trouva si ridicule
d'être traîné ainsi de compagnie par un cotillon, à la vue de
tout le monde, qu'il se tint à distance convenable, causant
avec le père Léonard, et trouvant moyen de le distraire et
de l'occuper assez pour qu'ils n'eussent point l'air de faire 25
partie de la bande.

XIII

LE MAÎTRE

Lorsqu'ils atteignirent le village, la veuve s'arrêta pour les
attendre. Elle voulait absolument faire son entrée avec tout
son monde ; mais Germain, lui refusant cette satisfaction,
quitta le père Léonard, accosta plusieurs personnes de sa 30

connaissance, et entra dans l'église par une autre porte.
La veuve en eut du dépit.

Après la messe, elle se montra partout triomphante sur la
pelouse où l'on dansait, et ouvrit la danse avec ses trois
5 amoureux successivement. Germain la regarda faire, et
trouva qu'elle dansait bien, mais avec affectation.

— Eh bien ! lui dit Léonard en lui frappant sur l'épaule,
vous ne faites donc pas danser ma fille ? Vous êtes aussi
par trop timide !

10 — Je ne danse plus depuis que j'ai perdu ma femme,
répondit le laboureur.

— Eh bien ! puisque vous en recherchez une autre, le deuil
est fini dans le cœur comme sur l'habit.

— Ce n'est pas une raison, père Léonard ; d'ailleurs je
15 me trouve trop vieux, je n'aime plus la danse.

— Écoutez, reprit Léonard en l'attirant dans un endroit
isolé, vous avez pris du dépit en entrant chez moi, de voir
la place déjà entourée d'assiégeants, et je vois que vous êtes
très-fier ; mais ceci n'est pas raisonnable, mon garçon. Ma
20 fille est habituée à être courtisée, surtout depuis deux ans
qu'elle a fini son deuil, et ce n'est pas à elle à aller au-devant
de vous.

— Il y a déjà deux ans que votre fille est à marier, et elle
n'a pas encore pris son parti ? dit Germain.

25 — Elle ne veut pas se presser, et elle a raison. Quoiqu'elle ait la mine éveillée et qu'elle vous paraisse peut-être
ne pas beaucoup réfléchir, c'est une femme d'un grand sens,
et qui sait fort bien ce qu'elle fait.

— Il ne me semble pas, dit Germain ingénument, car elle
30 a trois galants à sa suite, et si elle savait ce qu'elle veut, il
y en aurait au moins deux qu'elle trouverait de trop et qu'elle
prierait de rester chez eux.

— Pourquoi donc ? vous n'y entendez rien, Germain. Elle
ne veut ni du vieux, ni du borgne, ni du jeune, j'en suis quasi

certain ; mais si elle les renvoyait, on penserait qu'elle veut
rester veuve, et il n'en viendrait pas d'autre.

— Ah ! oui ! ceux-là servent d'enseigne !

— Comme vous dites.   Où est le mal, si cela leur convient ?

— Chacun son goût ! dit Germain.

— Je vois que ce ne serait pas le vôtre.   Mais voyons, on
peut s'entendre, à supposer que vous soyez préféré : on pourrait vous laisser la place.

— Oui, à supposer !   Et en attendant qu'on puisse le
savoir, combien de temps faudrait-il rester le nez au
vent ?

— Ça dépend de vous, je crois, si vous savez parler et
persuader.   Jusqu'ici ma fille a très-bien compris que le
meilleur temps de sa vie serait celui qu'elle passerait à se
laisser courtiser, et elle ne se sent pas pressée de devenir la
servante d'un homme, quand elle peut commander à plusieurs.   Ainsi, tant que le jeu lui plaira elle peut se divertir ;
mais si vous plaisez plus que le jeu, le jeu pourra cesser.
Vous n'avez qu'à ne pas vous rebuter.   Revenez tous les
dimanches, faites-la danser, donnez à connaître que vous
vous mettez sur les rangs, et si on vous trouve plus aimable
et mieux appris que les autres, un beau jour on vous le dira
sans doute.

— Pardon, père Léonard, votre fille a le droit d'agir comme
elle l'entend, et je n'ai pas celui de la blâmer.   A sa place,
moi, j'agirais autrement ; j'y mettrais plus de franchise et je
ne ferais pas perdre du temps à des hommes qui ont sans
doute quelque chose de mieux à faire qu'à tourner autour
d'une femme qui se moque d'eux.   Mais, enfin, si elle trouve
son amusement et son bonheur à cela, cela ne me regarde
point.   Seulement, il faut que je vous dise une chose qui
m'embarrasse un peu à vous avouer depuis ce matin,
vu que vous avez commencé par vous tromper sur mes

intentions, et que vous ne m'avez pas donné le temps de
vous répondre : si bien que vous croyez ce qui n'est point.
Sachez donc que je ne suis pas venu ici dans la vue de
demander votre fille en mariage, mais dans celle de vous
5 acheter une paire de bœufs que vous voulez conduire en
foire la semaine prochaine, et que mon beau-père suppose
lui convenir.

— J'entends, Germain, répondit Léonard fort tranquillement ; vous avez changé d'idée en voyant ma fille avec ses
10 amoureux. C'est comme il vous plaira. Il paraît que ce
qui attire les uns rebute les autres, et vous avez le droit de
vous retirer puisque aussi bien vous n'avez pas encore parlé.
Si vous voulez sérieusement acheter mes bœufs, venez les
voir au pâturage ; nous en causerons, et, que nous fassions
15 ou non ce marché, vous viendrez dîner avec nous avant de
vous en retourner.

— Je ne veux pas que vous vous dérangiez, reprit Germain,
vous avez peut-être affaire ici ; moi je m'ennuie un peu de
voir danser et de ne rien faire.   Je vais voir vos bêtes, et je
20 vous trouverai tantôt chez vous.

Là-dessus Germain s'esquiva et se dirigea vers les prés,
où Léonard lui avait, en effet, montré de loin une partie
de son bétail. Il était vrai que le père Maurice en avait
à acheter, et Germain pensa que s'il lui ramenait une
25 belle paire de bœufs d'un prix modéré, il se ferait mieux
pardonner d'avoir manqué volontairement le but de son
voyage.

Il marcha vite et se trouva bientôt à peu de distance des
Ormeaux.   Il éprouva alors le besoin d'aller embrasser son
30 fils, et même de revoir la petite Marie, quoiqu'il eût perdu
l'espoir et chassé la pensée de lui devoir son bonheur.   Tout
ce qu'il venait de voir et d'entendre, cette femme coquette
et vaine, ce père à la fois rusé et borné, qui encourageait sa
fille dans des habitudes d'orgueil et de déloyauté, ce luxe des

villes, qui lui paraissait une infraction à la dignité des mœurs
de la campagne, ce temps perdu à des paroles oiseuses et
niaises, cet intérieur si différent du sien, et surtout ce malaise
profond que l'homme des champs éprouve lorsqu'il sort de
ses habitudes laborieuses, tout ce qu'il avait subi d'ennui et 5
de confusion depuis quelques heures donnait à Germain
l'envie de se retrouver avec son enfant et sa petite voisine.
N'eût-il pas été amoureux de cette dernière, il l'aurait encore
cherchée pour se distraire et remettre ses esprits dans leur
assiette accoutumée. 10

Mais il regarda en vain dans les prairies environnantes, il
n'y trouva ni la petite Marie ni le petit Pierre : il était pourtant l'heure où les pasteurs sont aux champs. Il y avait un
grand troupeau dans une *chôme ;* il demanda à un jeune
garçon, qui le gardait, si c'étaient les moutons de la métairie 15
des Ormeaux.

— Oui, dit l'enfant.

— En êtes-vous le berger ? est-ce que les garçons gardent
les bêtes à laine des métairies, dans votre endroit ?

— Non. Je les garde aujourd'hui parce que la bergère 20
est partie : elle était malade.

— Mais n'avez-vous pas une nouvelle bergère, arrivée de
ce matin ?

— Oh ! bien oui ? elle est déjà partie aussi.

— Comment, partie ? n'avait-elle pas un enfant avec 25
elle ?

— Oui : un petit garçon qui a pleuré. Ils se sont en allés
tous les deux au bout de deux heures.

— En allés, où ?

— D'où ils venaient, apparemment. Je ne leur ai pas 30
demandé.

— Mais pourquoi donc s'en allaient-ils ? dit Germain de
plus en plus inquiet.

— Dame ! est-ce que je sais ?

— On ne s'est pas entendu sur le prix ? ce devait être pourtant une chose convenue d'avance.

— Je ne peux rien vous en dire. Je les ai vus entrer et sortir, voilà tout.

5 Germain se dirigea vers la ferme et questionna les métayers. Personne ne put lui expliquer le fait ; mais il était constant qu'après avoir causé avec le fermier, la jeune fille était partie sans rien dire, emmenant l'enfant qui pleurait.

— Est-ce qu'on a maltraité mon fils ? s'écria Germain dont 10 les yeux s'enflammèrent.

— C'était donc votre fils ? Comment se trouvait-il avec cette petite ? D'où êtes-vous donc, et comment vous appelle-t-on ?

Germain, voyant que, selon l'habitude du pays, on allait 15 répondre à ses questions par d'autres questions, frappa du pied avec impatience et demanda à parler au maître.

Le maître n'y était pas : il n'avait pas coutume de rester la journée entière quand il venait à la ferme. Il était monté à cheval, et il était parti on ne savait pour quelle autre de 20 ses fermes.

— Mais enfin, dit Germain en proie à une vive anxiété, ne pouvez-vous savoir la raison du départ de cette jeune fille ?

Le métayer échangea un sourire étrange avec sa femme, puis il répondit qu'il n'en savait rien, que cela ne le regardait 25 pas. Tout ce que Germain put apprendre, c'est que la jeune fille et l'enfant étaient allés du côté de Fourche. Il courut à Fourche : la veuve et ses amoureux n'étaient pas de retour, non plus que le père Léonard. La servante lui dit qu'une jeune fille et un enfant étaient venus le demander, mais que, 30 ne les connaissant pas, elle n'avait pas voulu les recevoir, et leur avait conseillé d'aller à Mers.

— Et pourquoi avez-vous refusé de les recevoir ? dit Germain avec humeur. On est donc bien méfiant dans ce pays-ci, qu'on n'ouvre pas la porte à son prochain ?

— Ah dame ! répondit la servante, dans une maison riche
comme celle-ci on a raison de faire bonne garde.   Je réponds
de tout quand les maîtres sont absents, et je ne peux pas
ouvrir aux premiers venus.

— C'est une laide coutume, dit Germain, et j'aimerais
mieux être pauvre que de vivre comme cela dans la crainte.
Adieu, la fille ! adieu à votre vilain pays !

Il s'enquit dans les maisons environnantes.   On avait vu
la bergère et l'enfant.   Comme le petit était parti de Belair
à l'improviste, sans toilette, avec sa blouse un peu déchirée
et sa petite peau d'agneau sur le corps ; comme aussi la
petite Marie était, pour cause, fort pauvrement vêtue en tout
temps, on les avait pris pour des mendiants.   On leur avait
offert du pain ; la jeune fille en avait accepté un morceau
pour l'enfant qui avait faim, puis elle était partie très vite
avec lui, et avait gagné les bois.

Germain réfléchit un instant, puis il demanda si le fermier
des Ormeaux n'était pas venu à Fourche.

— Oui, lui répondit-on ; il a passé à cheval peu d'instants
après cette petite.

— Est-ce qu'il a couru après elle ?

— Ah ! vous le connaissez donc ? dit en riant le cabaretier de l'endroit, auquel il s'adressait.   Oui, certes ; c'est
un gaillard endiablé pour courir après les filles.   Mais je ne
crois pas qu'il ait attrapé celle-là ; quoique après tout, s'il
l'eût vue . . .

— C'est assez, merci !   Et il vola plutôt qu'il ne courut
à l'écurie de Léonard.   Il jeta la bâtine sur la Grise, sauta
dessus, et partit au grand galop dans la direction des bois
de Chanteloube.

Le cœur lui bondissait d'inquiétude et de colère, la sueur
lui coulait du front.   Il mettait en sang les flancs de la Grise,
qui, en se voyant sur le chemin de son écurie, ne se faisait
pourtant pas prier pour courir.

XIV

LA VIEILLE

Germain se retrouva bientôt à l'endroit où il avait passé la nuit au bord de la mare. Le feu fumait encore ; une vieille femme ramassait le reste de la provision de bois mort que la petite Marie y avait entassée. Germain s'arrêta pour
5 la questionner. Elle était sourde, et, se méprenant sur ses interrogations :

— Oui, mon garçon, dit-elle, c'est ici la Mare au Diable. C'est un mauvais endroit, et il ne faut pas en approcher sans jeter trois pierres dedans de la main gauche, en faisant le
10 signe de la croix de la main droite : ça éloigne les esprits. Autrement il arrive des malheurs à ceux qui en font le tour.

— Je ne vous parle pas de ça, dit Germain en s'approchant d'elle et en criant à tue-tête :

— N'avez-vous pas vu passer dans le bois une fille et un
15 enfant ?

— Oui, dit la vieille, il s'y est noyé un petit enfant !

Germain frémit de la tête aux pieds ; mais heureusement la vieille ajouta :

— Il y a bien longtemps de ça ; en mémoire de l'accident
20 on y avait planté une belle croix ; mais, par une belle nuit de grand orage, les mauvais esprits l'ont jetée dans l'eau. On peut en voir encore un bout. Si quelqu'un avait le malheur de s'arrêter ici la nuit, il serait bien sûr de ne pouvoir jamais en sortir avant le jour. Il aurait beau marcher,
25 marcher, il pourrait faire deux cents lieues dans le bois et se retrouver toujours à la même place.

L'imagination du laboureur se frappa malgré lui de ce qu'il entendait, et l'idée du malheur qui devait arriver pour achever de justifier les assertions de la vieille femme, s'empara
30 si bien de sa tête, qu'il se sentit froid par tout le corps.

Désespérant d'obtenir d'autres renseignements, il remonta
à cheval et recommença de parcourir le bois en appelant
Pierre de toutes ses forces, et en sifflant, faisant claquer son
fouet, cassant les branches pour remplir la foret du bruit de
sa marche, écoutant ensuite si quelque voix lui répondait ; 5
mais il n'entendait que la cloche des vaches éparses dans
les taillis, et le cri sauvage des porcs qui se disputaient
la glandée.

Enfin Germain entendit derrière lui le bruit d'un cheval
qui courait sur ses traces, et un homme entre deux âges, 10
brun, robuste, habillé comme un demi-bourgeois, lui cria de
s'arrêter. Germain n'avait jamais vu le fermier des Ormeaux ;
mais un instinct de rage lui fit juger de suite que c'était lui.
Il se retourna, et, le toisant de la tête aux pieds, il attendit
ce qu'il avait à lui dire. 15

— N'avez-vous pas vu passer par ici une jeune fille de
quinze ou seize ans, avec un petit garçon ? dit le fermier
en affectant un air d'indifférence, quoiqu'il fût visiblement
ému.

— Et que lui voulez-vous ? répondit Germain sans chercher 20
à déguiser sa colère.

— Je pourrais vous dire que ça ne vous regarde pas, mon
camarade ! mais comme je n'ai pas de raisons pour le cacher,
je vous dirai que c'est une bergère que j'avais louée pour
l'année sans la connaître. . . . Quand je l'ai vue arriver, elle 25
m'a semblé trop jeune et trop faible pour l'ouvrage de la
ferme. Je l'ai remerciée, mais je voulais lui payer les frais
de son petit voyage, et elle est partie fâchée pendant que
j'avais le dos tourné. . . . Elle s'est tant pressée, qu'elle a
même oublié une partie de ses effets et de sa bourse, qui ne 30
contient pas grand'chose, à coup sûr : quelques sous pro-
bablement ! . . . mais enfin, comme j'avais à passer par ici,
je pensais la rencontrer et lui remettre ce qu'elle a oublié et
ce que je lui dois.

Germain avait l'âme trop honnête pour ne pas hésiter en
entendant cette histoire, sinon très-vraisemblable, du moins
possible.   Il attachait un regard perçant sur le fermier, qui
soutenait cette investigation avec beaucoup d'impudence ou
5 de candeur.

— Je veux en avoir le cœur net, se dit Germain, et, con-
tenant son indignation :

— C'est une fille de chez nous, dit-il ; je la connais : elle
doit être par ici. . . .   Avançons ensemble . . . nous la retrou-
10 verons sans doute.

— Vous avez raison, dit le fermier.   Avançons . . . et
pourtant, si nous ne la trouvons pas au bout de l'avenue,
j'y renonce . . . car il faut que je prenne le chemin
d'Ardentes.

15 — Oh ! pensa le laboureur, je ne te quitte pas ! quand
même je devrais tourner pendant vingt-quatre heures avec
toi autour de la Mare au Diable !

— Attendez ! dit tout à coup Germain en fixant des yeux
une touffe de genêts qui s'agitait singulièrement : holà ! holà !
20 Petit-Pierre, est-ce toi, mon enfant ?

L'enfant, reconnaissant la voix de son père sortit des
genêts en sautant comme un chevreuil, mais quand il le vit
dans la compagnie du fermier, il s'arrêta comme effrayé et
resta incertain.

25 — Viens, mon Pierre ! viens, c'est moi ! s'écria le laboureur en courant après lui, et en sautant à bas de son cheval
pour le prendre dans ses bras : et où est la petite Marie ?

— Elle est là, qui se cache, parce qu'elle a peur de ce
vilain homme noir, et moi aussi.

30 — Eh ! sois tranquille ; je suis là. . . .   Marie ! Marie !
c'est moi !

Marie approcha en rampant, et dès qu'elle vit Germain,
que le fermier suivait de près, elle courut se jeter dans ses
bras ; et, s'attachant à lui comme une fille à son père :

— Ah ! mon brave Germain, lui dit-elle, vous me défen-
drez ; je n'ai pas peur avec vous.

Germain eut le frisson.   Il regarda Marie : elle était pâle,
ses vêtements étaient déchirés par les épines où elle avait
couru, cherchant le fourré, comme une biche traquée par les   5
chasseurs.   Mais il n'y avait ni honte ni désespoir sur sa
figure.

— Ton maître veut te parler, lui dit-il, en observant toujours ses traits.

— Mon maître ? dit-elle fièrement ; cet homme-là n'est pas   10
mon maître et ne le sera jamais ! . . .   C'est vous, Germain,
qui êtes mon maître.   Je veux que vous me remeniez avec
vous. . . .   Je vous servirai pour rien !

Le fermier s'était avancé, feignant un peu d'impatience.

— Hé ! la petite, dit-il, vous avez oublié chez nous quel-   15
que chose que je vous rapporte.

— Nenni, monsieur, répondit la petite Marie, je n'ai rien
oublié, et je n'ai rien à vous demander. . . .

— Écoutez un peu ici, reprit le fermier, j'ai quelque chose
à vous dire, moi ! . . .   Allons ! . . . n'ayez pas peur . . . deux   20
mots seulement . . .

— Vous pouvez les dire tout haut . . . je n'ai pas de secrets
avec vous.

— Venez prendre votre argent, au moins.

— Mon argent ?   Vous ne me devez rien, Dieu merci !   25

— Je m'en doutais bien, dit Germain à demi-voix ; mais
c'est égal, Marie . . . écoute ce qu'il a à te dire . . . car, moi,
je suis curieux de le savoir.   Tu me le diras après : j'ai
mes raisons pour ça.   Va auprès de son cheval . . . je ne te
perds pas de vue.   30

Marie fit trois pas vers le fermier, qui lui dit, en se pen-
chant sur le pommeau de sa selle et en baissant la voix :

— Petite, voilà un beau louis d'or pour toi ! tu ne diras
rien, entends-tu ?   Je dirai que je t'ai trouvée trop faible

pour l'ouvrage de ma ferme. . . .   Et qu'il ne soit plus question de ça. . . .   Je repasserai par chez vous un de ces jours ;
et si tu n'as rien dit, je te donnerai encore quelque chose. . . .
Et puis, si tu es plus raisonnable, tu n'as qu'à parler : je te
5 ramènerai chez moi, ou bien, j'irai causer avec toi à la brune
dans les prés.   Quel cadeau veux-tu que je te porte ?

— Voilà, monsieur, le cadeau que je vous fais, moi !
répondit à voix haute la petite Marie, en lui jetant son
louis d'or au visage, et même assez rudement.   Je vous
10 remercie beaucoup, et vous prie, quand vous repasserez par
chez nous, de me faire avertir : tous les garçons de mon
endroit iront vous recevoir, parce que chez nous, on aime
fort les bourgeois qui veulent en conter aux pauvres filles !
Vous verrez ça, on vous attendra.

15 — Vous êtes une menteuse et une sotte langue ! dit le
fermier courroucé, en levant son bâton d'un air de menace.
Vous voudriez faire croire ce qui n'est point, mais vous ne
me tirerez pas d'argent : on connaît vos pareilles !

Marie s'était reculée effrayée ; mais Germain s'était
20 élancé à la bride du cheval du fermier, et, la secouant avec
force :

— C'est entendu, maintenant ! dit-il, et nous voyons assez
de quoi il retourne. . . .   A terre ! mon homme ! à terre ! et
causons tous les deux !

25 Le fermier ne se souciait pas d'engager la partie : il épe-
ronna son cheval pour se dégager, et voulut frapper de son
bâton les mains du laboureur pour lui faire lâcher prise ;
mais Germain esquiva le coup, et, lui prenant la jambe, il
le désarçonna et le fit tomber sur la fougère, où il le terrassa,
30 quoique le fermier se fût remis sur ses pieds et se défendît
vigoureusement.   Quand il le tint sous lui :

— Homme de peu de cœur ! lui dit Germain, je pourrais
te rouer de coups si je voulais ! Mais je n'aime pas à faire
du mal, et d'ailleurs aucune correction n'amenderait ta

conscience. . . . Cependant, tu ne bougeras pas d'ici que tu
n'aies demandé pardon, à genoux, à cette jeune fille.

Le fermier, qui connaissait ces sortes d'affaires voulut
prendre la chose en plaisanterie. Il prétendit que son péché
n'était pas si grave, puisqu'il ne consistait qu'en paroles, et 5
qu'il voulait bien demander pardon, à condition qu'il embras-
serait la fille, que l'on irait boire une pinte de vin au plus
prochain cabaret, et qu'on se quitterait bons amis.

— Tu me fais peine ! lui répondit Germain en lui poussant
la face contre terre, et j'ai hâte de ne plus voir ta méchante 10
mine. Tiens, rougis si tu peux, et tâche de prendre le chemin
des *affronteux* [1] quand tu passeras par chez nous.

Il ramassa le bâton de houx du fermier, le brisa sur son
genou pour lui montrer la force de ses poignets, et en jeta
les morceaux au loin avec mépris.   15

Puis, prenant d'une main son fils, et de l'autre la petite
Marie, il s'éloigna tout tremblant d'indignation.

XV

LE RETOUR A LA FERME

Au bout d'un quart d'heure ils avaient franchi les brandes.
Ils trottaient sur la grand'route, et la Grise hennissait à
chaque objet de sa connaissance. Petit-Pierre racontait à 20
son père ce qu'il avait pu comprendre dans ce qui s'était
passé.

— Quand nous sommes arrivés, dit-il, cet *homme-là* est
venu pour parler à *ma Marie* dans la bergerie où nous avons
été tout de suite, pour voir les beaux moutons. Moi, j'étais 25
monté dans la crèche pour jouer, et cet *homme-là* ne me

---

[1] C'est le chemin qui détourne de la rue principale à l'entrée des vil-
lages et les côtoie à l'extérieur. On suppose que les gens qui craignent
de recevoir quelque affront mérité le prennent pour éviter d'être vus.

voyait pas.   Alors il a dit bonjour à ma Marie, et il l'a
embrassée.

—Tu t'es laissé embrasser, Marie? dit Germain tout
tremblant de colère.

5   —J'ai cru que c'était une honnêteté, une coutume de l'endroit aux arrivées, comme, chez vous, la grand'mère embrasse
les jeunes filles qui entrent à son service, pour leur faire voir
qu'elle les adopte et qu'elle leur sera comme une mère.

—Et puis alors, reprit petit Pierre, qui était fier d'avoir
10 à raconter une aventure, cet *homme-là* t'a dit quelque chose
de vilain, quelque chose que tu m'as dit de ne jamais
répéter et de ne pas m'en souvenir : aussi je l'ai oublié bien
vite.   Cependant, si mon père veut que je lui dise ce que
c'était . . .

15   —Non, mon Pierre, je ne veux pas l'entendre, et je veux
que tu ne t'en souviennes jamais.

—En ce cas, je vas l'oublier encore, reprit l'enfant.   Et
puis alors, cet *homme-là* a eu l'air de se fâcher parce que
Marie lui disait qu'elle s'en irait.   Et ma Marie s'est fâchée
20 aussi.   Alors il est venu contre elle, comme s'il voulait lui
faire du mal.   J'ai eu peur, et je me suis jeté contre Marie
en criant.   Alors cet *homme-là* a dit comme ça : "Qu'est-ce
que c'est que ça? d'où sort cet enfant-là?   Mettez-moi ça
dehors."   Et il a levé son bâton pour me battre.   Mais ma
25 Marie l'a empêché, et elle lui a dit comme ça : "Nous causerons plus tard, monsieur ; à présent il faut que je conduise
cet enfant-là à Fourche, et puis je reviendrai."   Et aussitôt
qu'il a été sorti de la bergerie, ma Marie m'a dit comme ça :
"Sauvons-nous, mon Pierre, allons-nous-en d'ici bien vite,
30 car cet homme-là est méchant, et il ne nous ferait que du
mal."   Alors nous avons passé derrière les granges, nous
avons passé un petit pré, et nous avons été à Fourche pour
te chercher.   Mais tu n'y étais pas et on n'a pas voulu nous
laisser t'attendre.   Et alors cet *homme-là*, qui était monté

sur son cheval noir, est venu derrière nous, et nous nous
sommes sauvés plus loin, et puis nous avons été nous cacher
dans le bois. Et puis il y est venu aussi, et quand nous
l'entendions venir, nous nous cachions. Et puis, quand il
avait passé nous recommencions à courir pour nous en aller   5
chez nous ; et puis enfin tu es venu, et tu nous as trouvés ;
et voilà comme tout ça est arrivé. N'est-ce pas, ma Marie,
que je n'ai rien oublié ?

— Non, mon Pierre, et ça est la vérité. A présent, Germain, vous rendrez témoignage pour moi, et vous direz à tout   10
le monde de chez nous que si je n'ai pas pu rester là-bas, ce
n'est pas faute de courage et d'envie de travailler.

— Et toi, Marie, dit Germain, je te prierai de te demander
à toi-même si, quand il s'agit de défendre une femme et de
punir un insolent, un homme de vingt-huit ans n'est pas trop   15
vieux ? Je voudrais un peu savoir si Bastien, ou tout autre
joli garçon, riche de dix ans moins que moi, n'aurait pas
été écrasé par cet *homme-là*, comme dit Petit-Pierre : qu'en
penses-tu ?

— Je pense, Germain, que vous m'avez rendu un grand   20
service, et que je vous en remercierai toute ma vie.

— C'est là tout ?

— Mon petit père, dit l'enfant, je n'ai pas pensé à dire à
la petite Marie ce que je t'avais promis. Je n'ai pas eu
le temps, mais je le lui dirai à la maison, et je le dirai aussi   25
à ma grand'mère.

Cette promesse de son enfant donna enfin à réfléchir à
Germain. Il s'agissait maintenant de s'expliquer avec ses
parents, et, en leur disant ses griefs contre la veuve Guérin,
de ne pas leur dire quelles autres idées l'avaient disposé à   30
tant de clairvoyance et de sévérité. Quand on est heureux
et fier, le courage de faire accepter son bonheur aux autres
paraît facile ; mais être rebuté d'un côté, blâmé de l'autre,
ne fait pas une situation fort agréable.

Heureusement, le petit Pierre dormait quand ils arrivèrent à la métairie, et Germain le déposa, sans l'éveiller, sur son lit. Puis il entra sur toutes les explications qu'il put donner. Le père Maurice, assis sur son escabeau à trois pieds, à
5 l'entrée de la maison, l'écouta gravement, et, quoiqu'il fût mécontent du résultat de ce voyage, lorsque Germain, en racontant le système de coquetterie de la veuve, demanda à son beau-père s'il avait le temps d'aller les cinquante-deux dimanches de l'année faire sa cour, pour risquer d'être ren-
10 voyé au bout de l'an, le beau-père répondit, en inclinant la tête en signe d'adhésion : "Tu n'as pas tort, Germain ; ça ne se pouvait pas." Et ensuite, quand Germain raconta comme quoi il avait été forcé de ramener la petite Marie au plus vite pour la soustraire aux insultes, peut-être aux vio-
15 lences d'un indigne maître, le père Maurice approuva encore de la tête en disant : "Tu n'as pas eu tort, Germain ; ça se devait."

Quand Germain eut achevé son récit et donné toutes ses raisons, le beau-père et la belle-mère firent simultanément
20 un gros soupir de résignation, en se regardant. Puis, le chef de famille se leva en disant : "Allons ! que la volonté de Dieu soit faite ! l'amitié ne se commande pas !"

— Venez souper, Germain, dit la belle-mère. Il est malheureux que ça ne se soit pas mieux arrangé ; mais, enfin, Dieu
25 ne le voulait pas, à ce qu'il paraît. Il faudra voir ailleurs.

— Oui, ajouta le vieillard, comme dit ma femme, on verra ailleurs.

Il n'y eut pas d'autre bruit à la maison, et quand, le lendemain, le petit Pierre se leva avec les alouettes, au point du
30 jour, n'étant plus excité par les événements extraordinaires des jours précédents, il retomba dans l'apathie des petits paysans de son âge, oublia tout ce qui lui avait trotté par la tête, et ne songea plus qu'à jouer avec ses frères et à *faire l'homme* avec les bœufs et les chevaux.

Germain essaya d'oublier aussi, en se replongeant dans le travail ; mais il devint si triste et si distrait, que tout le monde le remarqua. Il ne parlait pas à la petite Marie, il ne la regardait même pas ; et pourtant si on lui eût demandé dans quel pré elle était et par quel chemin elle avait passé, il n'était point d'heure du jour où il n'eût pu le dire s'il avait voulu répondre. Il n'avait pas osé demander à ses parents de la recueillir à la ferme pendant l'hiver, et pourtant il savait bien qu'elle devait souffrir de la misère. Mais elle n'en souffrit pas, et la mère Guillette ne put jamais comprendre comment sa petite provision de bois ne diminuait point, et comment son hangar se trouvait rempli le matin lorsqu'elle l'avait laissé presque vide le soir. Il en fut de même du blé et des pommes de terre. Quelqu'un passait par la lucarne du grenier, et vidait un sac sur le plancher sans réveiller personne et sans laisser de traces. La vieille en fut à la fois inquiète et réjouie ; elle engagea sa fille à n'en point parler, disant que si on venait à savoir le miracle qui se faisait chez elle, on la tiendrait pour sorcière. Elle pensait bien que le diable s'en mêlait, mais elle n'était pas pressée de se brouiller avec lui en appelant les exorcismes du curé sur sa maison ; elle se disait qu'il serait temps, lorsque Satan viendrait lui demander son âme en retour de ses bienfaits.

La petite Marie comprenait mieux la vérité, mais elle n'osait en parler à Germain, de peur de le voir revenir à son idée de mariage, et elle feignait avec lui de ne s'apercevoir de rien.

XVI

LA MÈRE MAURICE

Un jour la mère Maurice se trouvant seule dans le verger avec Germain, lui dit d'un air d'amitié : " Mon pauvre gendre, je crois que vous n'êtes pas bien. Vous ne mangez pas

aussi bien qu'à l'ordinaire, vous ne riez plus, vous causez
de moins en moins.   Est-ce que quelqu'un de chez nous, ou
nous-mêmes, sans le savoir et sans le vouloir, vous avons
fait de la peine?

5   — Non, ma mère, répondit Germain, vous avez toujours
été aussi bonne pour moi que la mère qui m'a mis au monde,
et je serais un ingrat si je me plaignais de vous, ou de votre
mari, ou de personne de la maison.

— En ce cas, mon enfant, c'est le chagrin de la mort de
10 votre femme qui vous revient.   Au lieu de s'en aller avec
le temps, votre ennui empire, et il faut absolument faire ce
que votre beau-père vous a dit fort sagement : il faut vous
remarier.

— Oui, ma mère, ce serait aussi mon idée ; mais les femmes
15 que vous m'avez conseillé de rechercher ne me conviennent
pas.   Quand je les vois, au lieu d'oublier ma Catherine, j'y
pense davantage.

— C'est qu'apparemment, Germain, nous n'avons pas su
deviner votre goût.   Il faut donc que vous nous aidiez, en
20 nous disant la vérité.   Sans doute il y a quelque part une
femme qui est faite pour vous, car le bon Dieu ne fait personne sans lui réserver son bonheur dans une autre personne.
Si donc vous savez où la prendre, cette femme qu'il vous
faut, prenez-la ; et qu'elle soit belle ou laide, jeune ou vieille,
25 riche ou pauvre, nous sommes décidés, mon vieux et moi,
à vous donner consentement ; car nous sommes fatigués
de vous voir triste, et nous ne pouvons pas vivre tranquilles
si vous ne l'êtes point.

— Ma mère, vous êtes aussi bonne que le bon Dieu, et
30 mon père pareillement, répondit Germain ; mais votre compassion ne peut pas porter remède à mes ennuis : la fille que
je voudrais ne veut point de moi.

— C'est donc qu'elle est trop jeune?   S'attacher à une
jeunesse est déraison pour vous.

—Eh bien! oui, bonne mère, j'ai cette folie de m'être
attaché à une jeunesse, et je m'en blâme. Je fais mon
possible pour n'y plus penser; mais que je travaille ou que
je me repose, que je sois à la messe ou dans mon lit, avec
mes enfants ou avec vous, j'y pense toujours, je ne peux
penser à autre chose.

—Alors c'est comme un sort qu'on vous a jeté, Germain?
Il n'y a à ça qu'un remède, c'est que cette fille change d'idée
et vous écoute. Il faudra donc que je m'en mêle, et que je
voie si c'est possible. Vous allez me dire où elle est et comment on l'appelle.

—Hélas! ma chère mère, je n'ose pas, dit Germain, parce
que vous allez vous moquer de moi.

—Je ne me moquerai pas de vous, Germain, parce que
vous êtes dans la peine et que je ne veux pas vous y mettre
davantage. Serait-ce point la Fanchette?

—Non, ma mère, ça ne l'est point.

—Ou la Rosette?

—Non.

—Dites donc, car je n'en finirai pas, s'il faut que je
nomme toutes les filles du pays.

Germain baissa la tête et ne put se décider à répondre.

—Allons! dit la mère Maurice, je vous laisse tranquille
pour aujourd'hui, Germain; peut-être que demain vous serez
plus confiant avec moi, ou bien que votre belle-sœur sera plus
adroite à vous questionner.

Et elle ramassa sa corbeille pour aller étendre son linge
sur les buissons.

Germain fit comme les enfants qui se décident quand ils
voient qu'on ne s'occupera plus d'eux. Il suivit sa belle-
mère, et lui nomma enfin en tremblant *la petite Marie à la
Guillette.*

Grande fut la surprise de la mère Maurice: c'était la dernière à laquelle elle eût songé. Mais elle eut la délicatesse

de ne point se récrier, et de faire mentalement ses com-
mentaires.   Puis, voyant que son silence accablait Germain,
elle lui tendit sa corbeille en lui disant : — Alors est-ce une
raison pour ne point m'aider dans mon travail ?   Portez
5 donc cette charge, et venez parler avec moi.   Avez-vous
bien réfléchi, Germain ? êtes-vous bien décidé ?

   — Hélas ! ma chère mère, ce n'est pas comme cela qu'il
faut parler : je serais décidé si je pouvais réussir ; mais
comme je ne serais pas écouté, je ne suis décidé qu'à m'en .
10 guérir si je peux.

   — Et si vous ne pouvez pas ?

   — Toute chose a son terme, mère Maurice : quand le
cheval est trop chargé, il tombe ; et quand le bœuf n'a
rien à manger, il meurt.

15   — C'est donc à dire que vous mourrez, si vous ne réussissez
point ?   A Dieu ne plaise, Germain !   Je n'aime pas qu'un
homme comme vous dise de ces choses-là, parce que quand
il les dit il les pense.   Vous êtes d'un grand courage, et
la faiblesse est dangereuse chez les gens forts.   Allons,
20 prenez de l'espérance.   Je ne conçois pas qu'une fille dans
la misère, et à laquelle vous faites beaucoup d'honneur en
la recherchant, puisse vous refuser.

   — C'est pourtant la vérité, elle me refuse.

   — Et quelles raisons vous en donne-t-elle ?

25   — Que vous lui avez toujours fait du bien, que sa famille
doit beaucoup à la vôtre, et qu'elle ne veut point vous déplaire
en me détournant d'un mariage riche.

   — Si elle dit cela, elle prouve de bons sentiments, et
c'est honnête de sa part.   Mais en vous disant cela, Ger-
30 main, elle ne vous guérit point, car elle vous dit sans doute
qu'elle vous aime, et qu'elle vous épouserait si nous le
voulions ?

   — Voilà le pire ! elle dit que son cœur n'est point porté
vers moi.

— Si elle dit ce qu'elle ne pense pas, pour mieux vous
éloigner d'elle, c'est une enfant qui mérite que nous l'aimions
et que nous passions par-dessus sa jeunesse à cause de sa
grande raison.

— Oui ? dit Germain, frappé d'une espérance qu'il n'avait   5
pas encore conçue : ça serait bien sage et bien *comme il faut*
de sa part ! mais si elle est si raisonnable, je crains bien que
c'est à cause que je lui déplais.

— Germain, dit la mère Maurice, vous allez me promettre
de vous tenir tranquille pendant toute la semaine, de ne vous 10
point tourmenter, de manger, de dormir, et d'être gai comme
autrefois. Moi, je parlerai à mon vieux, et si je le fais
consentir, vous saurez alors le vrai sentiment de la fille à
votre endroit.

Germain promit, et la semaine se passa sans que le père 15
Maurice lui dît un mot en particulier et parût se douter de
rien. Le laboureur s'efforça de paraître tranquille, mais il
était toujours plus pâle et plus tourmenté.

XVII

LA PETITE MARIE

Enfin, le dimanche matin, au sortir de la messe, sa belle-
mère lui demanda ce qu'il avait obtenu de sa bonne amie 20
depuis la conversation dans le verger.

— Mais, rien du tout, répondit-il. Je ne lui ai pas parlé.

— Comment donc voulez-vous la persuader si vous ne lui
parlez pas ?

— Je ne lui ai parlé qu'une fois, répondit Germain. C'est 25
quand nous avons été ensemble à Fourche ; et, depuis ce
temps-là, je ne lui ai pas dit un seul mot. Son refus m'a
fait tant de peine que j'aime mieux ne pas l'entendre recommencer à me dire qu'elle ne m'aime pas.

— Eh bien, mon fils, il faut lui parler maintenant ; votre beau-père vous autorise à le faire. Allez, décidez-vous ! je vous le dis, et, s'il le faut, je le veux ; car vous ne pouvez pas rester dans ce doute-là.

5 Germain obéit. Il arriva chez la Guillette, la tête basse et l'air accablé. La petite Marie était seule au coin du feu, si pensive qu'elle n'entendit pas venir Germain. Quand elle le vit devant elle, elle sauta de surprise sur sa chaise, et devint toute rouge.

10 Petite Marie, lui dit-il en s'asseyant auprès d'elle, je viens te faire de la peine et t'ennuyer, je le sais bien : mais *l'homme et la femme de chez nous* (désignant ainsi, selon l'usage, les chefs de famille) veulent que je te parle et que je te demande de m'épouser. Tu ne le veux pas, toi, 15 je m'y attends.

— Germain, répondit la petite Marie, c'est donc décidé que vous m'aimez ?

— Ça te fâche, je le sais, mais ce n'est pas ma faute : si tu pouvais changer d'avis, je serais trop content, et sans 20 doute je ne mérite pas que cela soit. Voyons, regarde-moi, Marie, je suis donc bien affreux ?

— Non, Germain, répondit-elle en souriant, vous êtes plus beau que moi.

— Ne te moque pas ; regarde-moi avec indulgence ; il ne 25 me manque encore ni un cheveu ni une dent. Mes yeux te disent que je t'aime. Regarde-moi donc dans les yeux, ça y est écrit, et toute fille sait lire dans cette écriture-là.

Marie regarda dans les yeux de Germain avec son assurance enjouée: puis, tout à coup, elle détourna la tête et se 30 mit à trembler.

— Ah ! je te fais peur, dit Germain, tu me regardes comme si j'étais le fermier des Ormeaux. Ne me crains pas, je t'en prie, cela me fait trop de mal. Je ne te dirai pas de mauvaises paroles, moi ; je ne t'embrasserai pas

malgré toi, et quand tu voudras que je m'en aille, tu n'auras
qu'à me montrer la porte. Voyons, faut-il que je sorte pour
que tu finisses de trembler ?

Marie tendit la main au laboureur, mais sans détourner
sa tête penchée vers le foyer, et sans dire un mot.

— Je comprends, dit Germain ; tu me plains, car tu es
bonne ; tu es fâchée de me rendre malheureux : mais tu ne
peux pourtant pas m'aimer ?

— Pourquoi me dites-vous de ces choses-là, Germain ?
répondit enfin la petite Marie, vous voulez donc me faire
pleurer ?

— Pauvre petite fille, tu as bon cœur, je le sais ; mais tu
ne m'aimes pas, et tu me caches ta figure parce que tu crains
de me laisser voir ton déplaisir et ta répugnance. Et moi !
je n'ose pas seulement te serrer la main ! Dans le bois,
quand mon fils dormait, et que tu dormais aussi, j'ai failli
t'embrasser tout doucement. Mais je serais mort de honte
plutôt que de te le demander, et j'ai autant souffert dans
cette nuit-là qu'un homme qui brûlerait à petit feu. Depuis
ce temps-là j'ai rêvé à toi toutes les nuits. Ah ! comme
je t'embrassais, Marie ! Mais toi, pendant ce temps-là, tu
dormais sans rêver. Et, à présent, sais-tu ce que je pense ?
c'est que si tu te retournais pour me regarder avec les yeux
que j'ai pour toi, et si tu approchais ton visage du mien, je
crois que j'en tomberais mort de joie. Et toi, tu penses
que si pareille chose t'arrivait tu en mourrais de colère et
de honte !

Germain parlait comme dans un rêve sans entendre ce
qu'il disait. La petite Marie tremblait toujours ; mais
comme il tremblait encore davantage, il ne s'en apercevait
plus. Tout à coup elle se retourna ; elle était toute en
larmes et le regardait d'un air de reproche. Le pauvre
laboureur crut que c'était le dernier coup, et, sans attendre
son arrêt, il se leva pour partir ; mais la jeune fille l'arrêta

en l'entourant de ses deux bras, et, cachant sa tête dans son sein : — Ah ! Germain, lui dit-elle en sanglotant, vous n'avez donc pas deviné que je vous aime ?

Germain serait devenu fou, si son fils qui le cherchait et qui entra dans la chaumière au grand galop sur un bâton, avec sa petite sœur en croupe qui fouettait avec une branche d'osier ce coursier imaginaire, ne l'eût rappelé à lui-même. Il le souleva dans ses bras, et le mettant dans ceux de sa fiancée :

—Tiens, lui dit-il, tu as fait plus d'un heureux en m'aimant !

NOTES

N. B. — Where there would be difficulty in deciding whether words in parentheses are alternative or supplementary, the former are indicated by some special sign.

PAGE 1 LINES 3–4. **je n'ai eu . . . aucune prétention révolutionnaire:** *I had no idea of effecting a revolution.* Absence of "system" and critical theory differentiates George Sand from a large number of French writers.[1] She wrote without premeditation, as the great *causeurs* talk, giving herself up wholly to the inspiration of the moment.

1 8–12. The **roman de mœurs rustiques**, regarded as the "ideal of towns and courts," had its origin in the idyls of the Sicilian Theocritus (third century B.C.). Civilization, wearied with itself and reverting to simplicity, gave birth to the idyl and from time to time recreates it. This fact has entailed on it an almost invariable character of artificiality. The most famous of the conventional French idyls is Honoré d'Urfé's *Astrée* (first quarter of the seventeenth century). The word *maniérées* is especially applicable to the eighteenth-century pastorals. The *naïves* made their first appearance in France with the *Mare au Diable*. "Never," says Faguet, "had a French *littérateur* looked on a peasant. At most we had transposed Greek idyls — a very pleasant occupation — or conducted fine gentlemen and ladies through the fields, which is not at all the business of an idyl. George Sand was the first to take us into the heart of the country." Sainte-Beuve also points out that "the

---

[1] Ever since the days of Ronsard the critic has played a rôle of exceptional importance in France, heralding the new movements, chastening the intemperance of innovators, educating the public to correct appreciation. Brunetière points out (*L'Évolution des Genres*, p. 35 ff.) that in respect of criticism French literature alone among all European literatures has an uninterrupted history. "England and Germany have had distinguished critics, Pope, Johnson, Lessing, and Gottsched, but France alone has a body of literary doctrine, has a general theory of style, has rules and laws." We might add that in England and the United States theories and rules have been subordinated to personality.

seventeenth century had very little sense for natural picturesqueness. The Marquise de Rambouillet used to say: 'True lovers of letters are never happy in the country.' . . . Jean Jacques Rousseau had the glory of discovering nature as it is in itself and depicting it: Swiss nature, mountains, lakes, woods. . . . Bernardin de Saint-Pierre discovered Indian nature, Chateaubriand the savannahs of America and the great woods of Canada. . . . It needed Madame Sand to discover Berry."

1 11. **été de tout temps:** *ever been.*

1 14. With regard to the novelty of George Sand's "manner" in the *Mare au Diable*, see Introduction, p. xi.

1 15–17. **feuilletons, mais je sais mieux que personne à quoi m'en tenir sur mes propres desseins:** *newspaper (literary) reviews, but I know better than any other person what was in my own mind.*

1 17–18. **en cherche si long:** *should go so far afield* (in search of explanations); *should try so hard to find explanations.*

1 28. **j'ai bien senti le beau dans le simple:** *I did indeed feel the beauty inherent in simplicity.*

1 29. **Tout ce que l'artiste peut espérer de mieux:** *the very best that the artist can hope for.*

2 2. **vous autres:** *my good readers.*

3. Mare au Diable: cp. and note the genitival use of *à* in p. 19, l. 13; p. 26, ll. 27 and 32; p. 36, ll. 16–17; p. 51, ll. 28–29.

visaige, gagnerois, usaige: sixteenth-century forms.[1]

visa(i)ge: *brow.* — **usa(i)ge:** used here in the sense of *wearing struggle.*

3 2. **Holbein:** generally pronounced without aspiration, the latter syllable like *in* in *vin*. Holbein the Younger is meant (1497–1543). Holbein spent his last years in England. His best-known works are his Madonna and the series of illustrations referred to lower down as the *Simulachres de la mort*.

3 17. **Simulachres de la mort:**[2] the modern spelling is *simulacres*.

---

[1] **visaige, usaige:** Northeastern forms. Our present-day termination *age* does not proceed from *aige;* it represents the regular French (Francian) development from the Latin *aticum*. **gagnerois:** in the sixteenth century *ois* (from Latin *ē*) was pronounced in some words *wæ (wè)*, in others *æ (è)*. *Æ*, which established itself in imperfects and conditionals, has undergone no change. During the French Revolution *wæ* was replaced in the speech of the educated classes by the Parisian dialectical *wa*. Even in French Canada, which long retained the old aristocratic pronunciation of Louis XVI and Lafayette, *wa* is getting to be general. Voltaire's substitution of *ais* for *ois* was merely orthographical.

[2] French rendering of the German *Todesbilder, death-pictures.*

4 1. **a fait comparaître**: *passes in review* (*has summoned before him*).

4 7. See Luke xvi, 19 ff.

4 13. **leur compte**: *the satisfaction of their needs.* Cp. *il n'y trouve pas son compte,* he *does not find it to his advantage* (*that doesn't suit him*).

4 15. **que la mort tient par les cheveux**: *who are so helpless in the grip of death* (or literally).

4 22. **C'est bien là**: *there you have, indeed.*

5 13. **être du domaine**: *belong to the province.*

5 16. **n'osons pas**: with *savoir, pouvoir, oser,* and *cesser, pas* or *point* is usually omitted in simple negation, especially "when an infinitive follows, and when the negation is not emphatic." Cp. the following passages in the *Mare au Diable*: p. 81, l. 25; p. 83, ll. 5 and 12. There are cases in which it would be impossible to omit *pas* with *cesser,* e.g., in answer to the question *When does this workman stop work?* *Cet ouvrier ne cesse pas de travailler avant midi.* *Ne cesse de travailler* would mean *works all the time.*

5 18–19. **mauvais**: *unprincipled.*

5 19. **danse macabre**: [1] *dance of death.* George Sand is thinking of the *Simulacres* of Holbein, which are frequently, but incorrectly, called "dance of death." The mediæval *danse macabre* is an "allegorical representation in which death dances with, or pipes for, or offers to lead out to the dance, representatives of all classes of society from the emperor to the beggar" (Keil). It illustrates with bitter humor the universal power of death. It is frequently encountered on the walls of old churches and cemeteries, in stained glass, and in manuscripts. Holbein's great innovation consisted in his abandonment of the dance *motif.* The unifying idea in his tiny detached compositions is the suddenness of the irruption of death.

5 30–31. **Est-ce que notre littérature ne procéderait pas un peu en ceci comme**: *may it not be that in this regard our literature is proceeding somewhat like.*

6 3. **jacquerie**: (retain the French word in translation) rising, accompanied by great outrages, of the poor against the rich. The word is taken from a rising of the French peasants (known as *les Jacques*) in 1358, one of the most dreadful episodes of the dreadful century of the Hundred Years' War.

6 5. **l'état social**: *the social organization; social order; society.*

---

[1] The origin of the word *macabre* is uncertain. Körting gives (*chorea*) *Machabaeorum,* (*dance*) *of the Maccabees.*

6 10. **Durer:** (1471–1528) famous German painter, engraver, and wood-carver. — **Michel-Ange:** (1475–1564) great Italian painter, poet, sculptor, engineer, and architect. Note the versatility of a sixteenth-century genius. — **Callot:** (1593–1635) an etcher and engraver, born in Lorraine. — **Goya:** (1746–1828) Spanish painter and etcher.

6 19. **à:** *of a nature to produce a.*

6 23 ff. **Nous croyons que la mission de l'art est une mission de sentiment et d'amour:** George Sand's literary creed. She really believed that the artist's mission was one of love.[1]

6 29. **faire aimer:** *inspire affection for.*

6 30 ff. She says elsewhere: "According to the theory which I have instinctively followed, the central figure of a novel should embody its main idea or emotion, should be unhesitatingly idealized, and endowed with all the powers which one is conscious of aspiring after. . . . One should not fear to bestow on this typical figure . . . strength above the common, charms or sufferings beyond the custom of human things, and even beyond what the majority of men recognize as *probable*."

6 32. **Vicaire de Wakefield:** only for the very few can it be necessary to say that the *Vicar of Wakefield* is the work of Oliver Goldsmith (1728–1774). It belongs to the class of literature — the pastoral — which George Sand was in the act of creating for France in her *Mare au Diable.* As a picture of country life the *Mare au Diable* is superior to the *Vicar.*

6 33–34. The *Paysan perverti* is the work of Rétif de la Bretonne (1734–1806). This "Rousseau of the gutter," "Voltaire of the chambermaids," describes, seemingly with pleasure, the infamous and the gross in human nature. — *Liaisons dangereuses* is a daringly indecent story by Pierre de Laclos (1741–1803), an officer of the First Revolution.

---

[1] In the preface of *La Petite Fadette*, George Sand, contrasting the modern artist with a "powerful and stormy genius like Dante," says: "De nos jours, plus faible et plus sensible, l'artiste, qui n'est que le reflet et l'écho d'une génération assez semblable à lui, éprouve le besoin impérieux de détourner la vue et de distraire l'imagination, en se reportant vers un idéal de calme, d'innocence et de rêverie. Dans les temps où le mal vient de ce que les hommes se méconnaissent et se détestent, la mission de l'artiste est de célébrer la douceur, la confiance, l'amitié, et de rappeler ainsi aux hommes endurcis ou découragés que les mœurs pures, les sentiments tendres et l'équité primitive sont ou peuvent être encore de ce monde. Les allusions directes aux malheurs presents, l'appel aux passions qui fermentent, ce n'est point là le chemin du salut; mieux vaut une douce chanson, un son de pipeau rustique, un conte pour endormir les enfants sans frayeur et sans souffrance, que le spectacle des maux réels, renforcés et rembrunis encore par les couleurs de la fiction."

7 15–16. **qui se fait arracher**: *from which must be wrung.*

7 25. **superbes**: contrast its meaning here with that in p. 4, l. 14.

8 12. **à souhait**: *freely.*

8 14–15. **possédant la science de son labeur**: *having skilled knowledge of his task.*

8 33–**9** 1. In the *Georgics*, ii. 458–460:

> O fortunatos nimium, sua si bona norint,
> Agricolas, quibus ipsa, procul discordibus armis,
> Fundit humo facilem victum justissima tellus!
>
> Oh happy, if he knew his happy state!
> The swain, who, free from business and debate,
> Receives his easy food from Nature's hand,
> And just returns of cultivated land.
>
> *Dryden's translation.*

9 10. **est à l'état élémentaire**: *exists in embryo.*

9 13. **est exclusif des fonctions de l'âme**: *precludes the functioning of the soul.*

9 24. **arène**: *scene of their activity.*

9 32. **Dans le haut**: *at the far end.*

10 1. **areau**: provincial word; a primitive kind of plow without front part. The regular French word is *araire.*

10 4. **rabattues**: *low* (*turned down*). Littré quotes Buffon: "Les cornes très courtes, très rabattues, presque appliquées sur le crâne." A *bas rabattu* is a "stocking down about the ankles"; a *chapeau rabattu* is a "hat pulled down over one's face."

10 9. **taxent de fable**: *dismiss as mythical the story of.*

10 23–24. **la continuité d'un labeur sans distraction et d'une dépense de forces éprouvées et soutenues**: *unbroken, undistracted toil and the unflagging expenditure of* (*his well-*) *proven strength.*

10 32–33. **à robe sombre mêlée de noir fauve à reflets de feu**: *their dark coats brindled with a tawny black which showed a shifting coppery gloss.* Littré quotes Buffon: "Ces oiseaux ont la tête garnie de plumes relevées en huppe noire, à reflets verts et violets."

10 33–34. **qui sentent encore le taureau sauvage**: *which still suggest their wild state.*

11 1. **ce travail nerveux et saccadé qui s'irrite encore du**: *that jerky, nervous kind of tugging which shows that they still chafe under the.—* **nerveux**: means *relating to, possessing,* or *consisting of, nerves* (e.g., *système nerveux*); and also *muscularly strong.*

11 4. **liés**: applicable to oxen, *atteler* to horses.

11 10 ff. According to the Gospel story, St. John the Baptist on emerging from childhood withdrew to the wilderness, where he lived on locusts and wild honey, clad in raiment of camel's hair (Matthew iii, 4). To represent him in this costume, or in a sheepskin (Raphael even adopts a panther-skin), has become traditional in art. The life of St. John has been so often made the subject of pictorial representation (the "little St. John" has a whole class of pictures to himself), that, as Lessing said of the Passion, it would be impossible to put down a pin's point in it and not touch what had occasioned a masterpiece.

11 14. **armée d'un aiguillon peu acéré** : *shod with a blunt head.*

11 22. **à travers champs** : *far from the furrow* (*through the fields*). This expression usually (as here) implies *leaving the beaten path* ; sometimes, as in La Fontaine's *disant le bien, le mal, à travers champs*, it even means *at haphazard.*

11 27. **de** : *by virtue of its.*

11 31. Note that *que* is used instead of a repeated *quand*. As a rule this practice obtains with conjunctions and conjunction-phrases containing *que* : *lorsque, puisque, quoique, pendant que, tandis que, parce que, tant que, dès que ;* and with *quand, comme,* and *si*. Cp. p. 66, l. 26.

12 8–9. **ont dû être** : *must have been.*

12 10–11. **d'apaiser leurs mécontentements** : *of soothing their irritation.*

12 21. **intraduisible** : *impossible of notation.* George Sand says in a letter that she, Chopin, and Madame Viardot (famous pianist) had tried for hours without success to note down certain melodies played by a Berry piper (Keil).

12 26. **fin** : *skillful ; master ; accomplished.* Cp. *fin connaisseur, an expert judge* (i.e. *critic*); *fine lame, a clever swordsman.*

12 33–34. **monte d'un quart de ton en faussant systématiquement** : *keeps systematically a quarter tone above the proper pitch.*

13 1–2. **ne conçoit pas qu'un autre chant pût s'élever** : *cannot conceive the possibility of another song arising.*

14 1. **mieux** : *more truly.*

14 14. **il est encore** : *even thus he is.*

14 16. **vous autres,** and **nous autres** (see p. 2, l. 2 and p. 16, l. 13): frequently used for *nous, vous*.[1] See Vocabulary.

14 20. **pays** : *part of the country.* Cp. p. 33, l. 17.

15 25. **est assez sage** : *has sense enough.*

15 28–29. **les pauvres innocents !** *poor little things !*

---

[1] Similar expressions are found in Italian : *noi altri, voi altri ;* and in Spanish : *nosotros, vosotros.*

16 2. ne se tient guère en repos : *is hardly a minute quiet.*

16 2–3. C'est un sang vif : *he is quick and impulsive.*

16 3. ça : colloquial contraction of *cela*. Applied to persons it sometimes suggests an intentional slight.

16 4. ma vieille : cp. p. 82, l. 25 ; p. 85, l. 12. There is no suggestion of a slight in these expressions as used by French peasants.

16 18–19. cela me fera beaucoup de peine, et que je n'en ai guère plus d'envie que de me noyer : *I shall feel very badly about it, and that I have just about as much wish to be married as to jump into the river.*

16 21–22. à ses père et mère : this construction is found occasionally. Cp. "Les père et mère continuent de les nourrir" (Buffon). *Father* and *mother* are vaguely felt to belong to the class *parent.*

16 28. est d'un : *shows that you have a.*

17 1. Le bon Dieu a voulu qu'elle nous quittât : *it has pleased God to take her away from us.* — Le bon Dieu : customary way of speaking of God in French. Cp. the German *der liebe Gott.* Contrast the awful reverence of the Jew for the sacred name, which prevented him from pronouncing it.

17 2. For the dative of the person with *faire* plus an infinitive which governs another object in the accusative, cp. p. 21, l. 1 ; p. 36, l. 10 ; p. 63, l. 32 ; p. 67, l. 28 ; p. 79, l. 32. Note that the object of the infinitive may be a substantive sentence.

17 7–8. Il s'agit donc de rencontrer : *so it is for us to find.*

17 15. C'est une justice à te rendre : *it is only fair to you to say.*

17 16–17. écouté l'amitié et les bonnes raisons de ton chef de famille : (freely) *taken the friendly advice of the old* (or *experienced*) *head of the house.*

17 21. The meaning of *une bonne âme* is repeated and amplified in the subsequent adjectives.

17 28. A Dieu ne plaise ! : *Heaven forbid they should be !*

17 33. la : cp. p. 83, ll. 16–18. The definite article is occasionally used in colloquial language before the (Christian) name of a person well known to the hearer, — e.g., *Je me suis fiancé à la Juana* (Dumas), — especially in speaking of persons of lowly condition. Cp. also the use of the definite article before the names of famous or notorious persons : *le Dante, le Tasse, la Taglioni,* etc.

17 34. enfin, celle que vous voudrez : *oh (well), any one of them you like.*

18 14. d'autant plus que : *especially as (all the more as).*

18 17. là : said somewhat coaxingly. Cp. p. 44, l. 27.

19 1. ça me fera encore plus de peine : *it will make me feel worse than ever.*

·19 7–8. elle a bien pour huit ou dix mille francs de terres : *she has a farm that is worth in the neighborhood of* (*that I should say is worth*) *eight or ten thousand francs*. For a delicate use of *bien* requiring care in translation, see l. 16; p. 24, l. 33; p. 35, l. 31; p. 39, l. 25; p. 42, l. 21; p. 46, ll. 33–34; p. 54, l. 30.

19 13. sauf votre avis à tous les deux : *provided you two agree to it.*

19 15–17. un peu mon parent, et il a été beaucoup mon ami. Tu le connais bien, le père Léonard : *a sort of relation of mine; we used to be great friends. You know old Mr. Leonard, don't you?*

19 19–20. c'est donc de cela qu'il vous entretenait si longuement? : *so that is what he had such a long talk to you about.*

19 29–30. et les bonnes affaires où je sais qu'ils sont : *and the prosperity I know them to be enjoying.*

20 1. J'y tiens, si vous voulez : *oh yes, I suppose I do* (*I care, if you like.*)

20 8. les menus profits et la culture fine : *the odds and ends and the small stuff* (*truck*, Amer.), i.e., poultry, eggs, butter, vegetables, flowers, etc.

20 11–12. tout céder que de disputer sur le tien et le mien : *give it all up than have a dispute about it with a partner* (*dispute about what's mine and what's another man's*). An educated man might say *haggle over meum and tuum*, but such expressions are above the social level of Germain.

20 14. je ne m'y retrouverais jamais : *I should never make it* (*them*) *out.*

20 18. t'amener du désagrément : *get you into trouble; involve you in unpleasant relations.*

21 2–3. à mettre chez nous : *of bringing into the house.*

21 18. songer : *recollect* (lit. *think*).

21 18–19. n'ayant rien à prétendre dans l'héritage de : *having no claim on any part of the property coming to.*

21 23. Si cela retombait sur nous seuls : *if it all came on our shoulders.*

21 29–30. quelque courage qu'on y mette. Voilà mes observations, Germain, pèse-les : *no matter how pluckily you work to keep it off. That is what I say, Germain, think it over carefully.*

21 31. ses écus : *her dollars* (*money*); *être au bout de ses écus = être sans ressources. Écu*, the official designation of a number of old French coins of various values, is applied currently to the big silver five-franc piece.

21 33. C'est dit : *all right.*

22 6. mariage de raison : or *mariage de convenance*, i.e., marriage based on suitability of rank and fortune rather than, as among us, on

an inspiration of sentiment. The indispensable accompaniment of the *mariage de raison* is the *dot*. A French girl without a dowry does not expect to get married (see p. 45, ll. 4 ff.). In the novels (e.g., in *Le Roman d'un jeune homme pauvre*, by Octave Feuillet) heroic brothers are constantly sacrificing their careers in order to make provision for their sisters.

22 12. **il n'y a pas plus de trois lieues de pays**: *it is not more than three leagues away.*[1]

22 17. **présent**: the more usual word is *cadeau*. See p. 43, l. 5.

22 18. **Tu arriveras de ma part**: *you'll say that I sent you.*

22 23. **vécu sagement comme vivent**: *led a steady life as . . . do.*

22 30–34. **et Germain . . . Germain ne comprenait pas qu'il eût pu se révolter contre de bonnes raisons**: *and as for Germain, . . . the idea of refusing to submit to sound arguments . . . never dawned upon his mind.* — (l. 31.) **à l'œuvre commune**: *to the welfare of the household.*

23 5 ff. See note on p. 80, l. 22.

23 8–9. **projet de mariage que lui montrait**: *matrimonial scheme held out before him by.*

23 11. **lui donnaient à penser**: *disposed his mind to be vaguely apprehensive.* Cp. p. 30, l. 22 and p. 79, l. 27.

23 17 ff. Note the beautiful picture of the close of the peasant's day. Genuine love of the country joined to a rich imagination distinguishes George Sand from all other French writers of idyls.

23 17. **métairie**: (akin in its origin to *moitié*), a farm for which the tenant pays in rental the *half* of the crop, or such proportion as may have been agreed on. A large part of the land in the center and south of France is worked on the *métayer* system. The poverty of the Italian peasant has caused it to be adopted very generally throughout Italy also.

23 27. **tout en cherchant**: *at the same time as she came for.*

23 28. **braise**: matches were little used in the middle of the last century, especially in the country. Presumably *la Mère Guillette* could not even afford a flint and steel. More prosperous peasants avoided the trouble of lighting fires by keeping coals permanently alive on the hearth; they covered them with ashes when no heat was required (Keil).

---

[1] The *lieue géographique* was equal to 4444½ meters (meter = 3.2809 English feet), the *lieue de pays* varied in length in the different provinces of France. The *lieue* is no longer the officially recognized unit of road measurement. Its place has been taken since the First French Revolution by the kilometer (1000 meters).

24 10. **aussi** : *that is why ; and so.*

24 21–22. **Voyez comme ça se trouve !** : *how lucky that is !*

24 23. **je vas** : [1] occurs a few times in the story, but George Sand is very sparing of peasant incorrectness in the *Mare au Diable* (see Introduction, p. xiii). She relies for her local color on the subtle suggestions of style. In a later novel, *La Petite Fadette*, she introduces *patois* freely, but without any gain in artistic effect.

24 33. **Il faut bien qu'elle entre en condition** : *she has to go out to service, has n't she* (or *of course*) *?* (But the meaning of *bien* can be brought out better by a slight gesture or a modulation of the voice indicative of resignation.)

24 34–**25** 1. **Ça me fait assez de peine et à elle aussi, la pauvre âme !** : *it's pretty hard on me, and on her too, poor thing !*

25 2–3. **la Saint-Jean** : the 24th of June, which, it may be of interest to dwellers in the Northeastern States to learn, is the national *fête* of the French Canadians. — **mais voilà que la Saint-Martin arrive, et qu'elle trouve** : *but Martinmas is getting near now, and she's been offered.* Martinmas (the 11th of November) and St. John's day are the chief periods for making engagements with farm servants in France. Saint Martin is the patron saint of France. — The definite article is joined to the names of saints' days. *La Saint-Martin* stands for *la fête* [2] *Saint-Martin*, not *la fête de Saint-Martin*.

25 6–7. **Vous n'êtes guère occupée, ma petite fille, qu'il lui dit** : *you've not much to do, my little girl, says he to her.* — **qu'il lui dit** : familiar for *lui dit-il.* Cp. p. 28, l. 27.

25 8. **pastoure** : word very generally used in Central France. The regular French word is *bergère.* — **ce n'est guère** : *that's not very much.*

25 15. **embarrassée de passer** : *troubled how to get through.*

25 16–18. The early departure of migratory birds is held by the

---

[1] This form is due to analogy with the second and third persons of the same tense. Analogy has played an especially important part in the development of the French verb. For instance, in the Middle Ages there were hundreds of verbs in which, as in *vouloir* and *pouvoir* to-day, the vowel of the singular of the present indicative differed from that of the first and second persons plural : analogy has unified all those in *er*, and all but a few of the others.

[2] We have to do here not with a modern ellipsis, but with a survival. In Old French *de* was not required in order to express a relation of possession between two substantives, when the second, the determining or possessing, was a person or personified object. Other instances similar to the above are *hôtel-Dieu, fête-Dieu, corbleu* (*corps-Dieu*), and the construction exemplified in *librairie Renouf.* Note that compound expressions frequently preserve fragments of old grammar.

peasants to indicate that winter will come early and be severe (Keil). —
17. **traverser les airs**: *fly past.*

25 20–21. **de quoi faire vivre**: *enough to keep.*

25 22. **en âge (la voilà qui prend seize ans)**: *a big girl now (she'll soon be sixteen).* — **en âge**: usually refers to an age requisite for some particular function or purpose, e.g., *elle ne peut pas se marier, parce qu'elle n'est pas en âge.* It is frequently followed by the infinitive, e.g., *en âge de se battre, en âge de se marier.*

25 27–28. **je vous les ferais trouver**: *I'd get them for you.*

25 32–33. **et plus votre fille tardera à prendre un parti, plus elle et vous aurez de peine à vous quitter**: *and the longer your girl puts off making up her mind, the harder it will be for you and her to part.*

26 4. **courageuse autant que**: *as keen for her work as any.*

26 4–5. **gros travail**: *big household.*

26 11. **su**: *been able.* A similar meaning of *savoir* is found in the following examples: " Je saurai bien (*shall not fail to*) me défendre." " A deux milles d'ici j'ai su (*succeeded in*) le rencontrer" (Corneille). "Il sait (*has power to*) des méchants arrêter les complots" (Racine).

26 16. **un état**: *to do something.*

26 17. **le sort en est jeté**: *that is settled for good.*

26 24–25. **Cela se doit**: *that's only right.* Cp. p. 80, ll. 16–17.

26 27. **Dis-moi**: *look here.*

26 27–28. **s'en va bergère**: *is going off (to be a) shepherdess.* Note, with regard to the omission of the indefinite article, that the foregoing phrase predicates in the same way as *devenir bergère:* the subject is determined in a *general* way by the concept "shepherdess." Usually the predication concerns *nationality* or *condition in life*, e.g., *Je suis devenu Américain — Je suis entré lieutenant.* Cp. p. 34, l. 2.

26 32–33. **Dans notre monde à nous, pareille chose ne viendrait pas à la pensée d'une mère, de**: *in our walk in life a mother would never dream of.*

27 5. **sur la tête**: *behind them.*

27 13. **mouvement corrompu**: *corruption.*

27 15. **servant la vérité**: *upright.*

28 5. **prendre le grand trot**: *break into a quick trot.* The opposite expression is *aller au petit trot.*

28 6. **le nez au vent**: *her head held high (and nostrils dilated).* Cp. p. 67, ll. 11–12. Cp. also Béranger's

> Vous, messieurs, qui le nez au vent
> Encensez tout soleil levant,

addressed to those who are keen to foresee which way the wind will blow.   Note the variety of meaning communicated to an expression by the context.

28 6–7. Note George Sand's delicate faculty of observation.[1]

28 11. **mauvais enfant :** *rascal.*

28 16. **monsieur :** *my gentleman.*

28 17. **de :** *for.*

28 27. **qu'il est gentil :** familiar for *il est gentil.* Cp. p. 25, l. 7.

28 31. **en était tout gonflé :** *was like to burst.*

29 4–5. **qu'un si gentil enfant ne pouvait qu'être pris en bonne amitié :** *that nobody could help liking such a nice boy.*

29 9. **Si fait :** *oh yes, I do.* *Si* is used after a negative expressed or understood ; *si fait* is emphatic. Cp. p. 57, l. 11, and p. 60, l. 31.

30 9. **j'ai été plus d'une fois à même de m'en repentir :** *more than once I've had occasion to regret it.* Observe meaning on p. 57, l. 25.

30 19. **un peu :** *for a minute or two.* — **tout droit :** *straight off.*

30 22. **te donne à penser :** *you think not just right.* Cp. p. 23, l. 11.

30 26. **comme ça :** *as it is.*

30 27. **pauvre chère femme de mère :** *poor dear old mother.*

30 33. **têteau de chêne :** pollard oak, i.e., an oak which is topped eight or ten feet from the ground in order that it may produce a greater quantity of branches.   The branches are used as fuel or as food for animals.   In *La Vallée Noire* George Sand tells that all the trees in "the valley" excepting walnuts and a few elms around the houses were periodically stripped of their branches in order to provide food for the sheep in winter.   Oaks, elms, and willows are treated in this way and are planted for the purpose. — **têteau :** provincial ; the regular French word is *têtard.*

31 5. **Par exemple ! :** *did you ever see the like of that !*

31 9–10. **Mon petit père :** *daddy.*

31 11. **chanson :** *(old) story.*

31 12. **mauvais Pierre :** *you rascal.*

31 13. **mon petit père à passer :** ungrammatical ; intended to be an

---

[1] Sainte-Beuve says (*Causeries du lundi*, vol. I, p. 356) : "la Vieille Grise qui, paissant près de là, reconnaît sa fille au passage, et qui essaie de galoper sur la marge du pré pour la suivre, tout est peint au naturel, avec une observation parfaite et une expression vivante.   On n'a pas affaire ici à un peintre amateur qui a traversé les champs pour y prendre des points de vue : le peintre y a vécu, y a habité des années ; il en connaît toute chose et en sait l'âme ; il sait le vol des grues dans le nuage (p. 25, ll. 16–17), le babil de la grive sur le buisson (p. 23, ll. 22–23), et l'attitude de la jument au bord de la haie, ' pensive, inquiète, le nez au vent, la bouche pleine d'herbes qu'elle ne songeait plus à manger.' "

imitation of the speech of the child. The correct form would be *que mon petit père passât.*

31 14. **à force de regarder :** *from looking so long.*

32 3. **marmots :** *youngsters.*

32 12–13. **il se fit en lui un si rude combat :** *so fierce a struggle began within him.* — **rude :** cp. the meaning of this word on p. 46, l. 8. Hard fighting is implied in the following : "Vous avez soutenu de rudes guerres " (Fénelon). " Après avoir achevé le rude siège de Besançon " (Bossuet).

32 15. **lui en vint au front :** *stood out on his brow.*

32 27. **à preuve que :** *the proof is that ; witness the fact that.*

32 30. **à cheval :** *up.*

32 33. **Qu'à cela ne tienne :** *oh, all right then, let us take him along.* Lit., *let it not depend on that,* i.e., *let that be no objection.*

33 6. **suis bien sans façons :** *am pretty ready to make myself at home.*

33 17. **pays :** *place (part of the country).*

33 26. **Allons, allons :** *well ! well !*

33 30. **fait le méchant :** *been naughty.*

34 10. **garni :** *covered.* The word *garni* does not of course show in itself which side the goatskin was on.

34 14. **Ah ça :** *I wonder now ; well now.*

34 18–19. **Vous allez dire . . . vous lui recommanderez :** indicative used with sense of mild imperative.

34 21–22. **moi, je ne pensais plus que Jeannie devait être par là :** *I had forgotten that Jeannie must be up there.*

34 23. **Et justement :** *yes, and (by good luck).*

34 25–26. **remit la jument au trot :** *started the mare off on a trot again.*

34 28. **lui creusant :** *making him feel very empty in.*

35 1. **Voilà que ça commence :** *there he goes.*

35 2–3. **criât la faim ou la soif :** *crying out for something to eat or drink.* Cp. La Fontaine's *crier misère, crier famine* (Keil).

35 7–8. **un doigt de vin :** among peasants this expression signifies two or three fingers of wine in a large goblet.

35 11. **j'y songe, ma bonne fille :** *now I recollect, Mary, my girl.*

35 22. **j'en viendrai á bout :** *I shall manage to eat something.*

35 24. **me troublait le cœur :** *upset me.*

35 31. **qu'il se passa bien une heure :** *that it was as much as an hour.*

36 1. **impérieux :** *exacting.*

36 17. **plus bas que :** *past ; below.*

36 28. **pour gagner :** *and made for.*

36 34. **encore :** *add to that ; even then.*

37 2. **gagna beaucoup plus haut**: *reached a point much farther up.*

37 16. **bout de côte**: *bit of hill.*

37 27. **Par deux fois**: *twice over.*

37 31. **n'eussent affaire à**: *from having to skirmish with.*

37 34. **grand'[1]peine**: *hard work.* Cp. p. 41, l. 33; p. 73, l. 31; p. 79, l. 26.

38 26. **rampait**: *kept low.*

39 2. **un coup de reins**: *a sharp hitch with her hind quarters; a buck jump* (Russell).

39 3. **par manière d'acquit**: *by way of parting salutation.*

39 7. **Ça**: *well* (spoken so as to call attention).

39 23–24. **de vieilles souches qui ne tiennent à rien et qui**: *some loose old stumps that.*

39 24–25. **Vous avez bien du feu**: *you have something to strike a light with, have n't you?*

40 4. **C'est, vrai Dieu, certain!**: *true as death, so she has!*

40 11–12. **à l'envers ; il ne roulera pas dans la ruelle**: *wrong side up; he'll not roll out.*

40 18–19. **couché là aussi bien**: *as snug there.*

40 21. **Ce n'est pas bien sorcier**: *that's no great trick.* — **sorcier**: cp. a similar adjectival use of the substantives *canaille, crâne, fanfaron, farce.* The change in function has come about from their appositional relation to other nouns.

40 25. **pâtour**: see note on p. 25, l. 8.

40 28. **toucheur de bœufs**: *plow-boy.* Cp. p. 15, ll. 24–25.

41 12. **ranimé, et le cœur me revient**: *cheered up, and my (good) spirits are coming back.*

41 20–21. **le moyen de s'en empêcher**: *how can you help it.*

41 27–28. **quelque ouvrage que ce fût**: *any amount of work.*

41 33. **grand'pitie**: *very sad ; too bad.*

42 6–7. **faisait grand cas de toi et de ta mère. Allons! tu pleures! Voyons, ma fille, je ne veux pas pleurer, moi**: *thought a great deal of you and your mother. There now, you're crying! Look here, Mary, I don't mean to cry.* . . .

42 10. **Ne vous gênez pas, allez!**: *don't you mind me, I say!*

---

[1] *Grand'* in such instances is a survival of the regularly derived Old French feminine adjective *grand* (Latin *grandem*). The apostrophe is an anomaly due to seventeenth-century grammarians, who thought that an *e* must have dropped out. The modern form *grande* is the product of analogy with adjectives like *bonne* (Latin *bonam*, the vowel *a* not perishing like *e*, but being transformed into *e*).

42 19. **on est pas**: familiar for *on n'est pas*.

42 21. **Il est bien neuf heures du soir**: *it's all of nine o'clock.*

42 28. **commode**: *easy to keep.*

43 9. **sans broche et sans landiers**: as a rule the peasants of Central France roast their meat on a spit which is turned slowly by clockwork. The power is supplied by a stone weight.

43 10. **ça deviendra du charbon!**: *it will be burned to cinders!*

43 24. **pas vrai?**: *would n't you, eh?* Familiar for *n'est-ce pas vrai?*

43 25–26. **sous la ramée**: *in the green booth.* At the country fairs people used to make booths of green boughs, which served as drinking places. Nowadays their place is taken by tents (Haas).

44 23. **A quoi donc aurais-je eu l'esprit**: *tell me, where should I have had my wits.*

44 29. **J'en serais fort empêchée**: *I should find it very hard to do that.*

45 11. **Que veux-tu qu'on dise?**: *what could they say?* Cp. p. 50. l. 25, where one may supply *que je dise, que je fasse.* Cp. also p. 58, l. 13. The fundamental idea of this fairly common French mode of expression is, "whether one likes it or not, whether one thinks so or not, it is so."

45 14. **Dites donc**: *look here!* (*Halloo!*)

46 5. **la clef de nos appétits**: cp. *avoir la clef des champs, to be free to go where one will; prendre la clef des champs, to escape, take flight.*

46 22. **Voyez-vous ce raisonneur?**: *just listen to his talk* (*arguing*)!

49 10. **endormi**: *which had settled down.*

50 4. **critiquer**: *point out the weaknesses of.*

50 25. **Que veux-tu!**: *well, supposing I did!* Cp. note on p. 45, l. 11.

50 30. **Mais enfin si ça se trouvait?**: *but supposing a man* did *come along?* — **enfin**: indicates persistence in the argument.

51 24. **pas moins**: *certainly.*

51 31. **Mon Dieu, qu'il était vilain!**: *gracious! how ugly he was!* — **Mon Dieu**: This exclamation must not be translated literally. Neither the French nor the Germans have our reverence for the name of God.

51 33. **Ce ne serait pas une raison**: *that does not follow.*

52 21. **il eut beau faire**: *it was of no use for him to try.*

53 1. **plutôt?**: *if anything.*

53 5. **air doux et honnête!**: *a sweet, pleasant expression.* The word *honnête* is used by peasants with very comprehensive meaning. Cp. use of *courage* on p. 84, l. 18.

54 25. **temps**: *weather.*

54 28. **y tenir**: *stand it.*

54 29–30. **nous trouverons bien**: *we'll manage to find.*

54 33. **n'avait pas de volonté**: *was incapable of making objections.*

55 13. **si bien, qu'ils remontèrent:** *so that they went back over.* — **si bien, que:** = *de sorte que.*

55 19. **feu de bivouac:** *camp-fire.*

56 13. **ne se soutenait plus sur ses jambes:** *could n't stand up on her feet.*

56 27–28. **faire toute ma vie tes mille volontés:** *do every blessed thing you liked as long as I lived.*

57 31–32. **comme tu es . . . faite pour être recherchée:** *how you deserve to be sought after.*

58 11. **honnêtement:** *like an honest man. Kind and honest* would perhaps be nearer the meaning. See note on p. 53, l. 5.

58 13–15. **que voulez-vous que j'y fasse? le cœur ne m'en dit pas pour vous. Je vous aime bien:** *how can I help it? (What can I do about it?) I am not in love with you. I like you very well.*

58 30. **mon âge n'en comporte:** *goes with my age.*

59 6. **devions:** note the subjunctive after a verb of "thinking" negatived by the *moins.*

59 14. **soignant toujours:** *continuing to look after.*

60 7–9. **à prendre, l'un tout droit, l'autre sur la gauche, pour gagner leurs différents gîtes, qui étaient d'ailleurs:** *one to keep straight on, the other to turn to the left, in order to reach their several destinations, which, he added, were.*

60 16. **le loup:** wolves are common in France.

60 17. **à nuitée:** *during the night.* Cp. George Sand's *La Petite Fadette:* "Donnez-lui son pardon, car il s'en va pleurer à nuitée." *A nuitée* is provincial, but *par nuitée, per night,* is current in literary French.

60 27. **museau:** properly speaking, applied to animals only. It is used here playfully for *visage.* — **beau et brave:** *nice and dressed up.*

61 17. **vous:** *for you.*

61 22. **sans méfiance:** *without any suspicion that he would understand.*

62 **La Lionne:** *the swell.* The slang use of this word was much in vogue in the forties, having been borrowed with a modification from English. *Lion* was applied to a rich, fashionable, extravagant young man of striking behavior. This kind of person has been known successively as a *muscadin, incroyable, merveilleux, dandy, fashionable.* A *lionne* has somewhat similar qualities. The English names for the male of the species are *masher, dude* (Amer.).

62 11. **crépi à chaux et à sable:** *made of stone and mortar.*

62 12–13. **il s'en fallait de peu qu'on ne la prît pour une maison de bourgeois:** *one would almost have taken it for a little villa (for the house of a middle-class person, retired shopkeeper, etc.).* — **bourgeois:** from the point of view of the *ouvrier*, the *bourgeois* is a well-to-do man. *Bourgeois* means, primarily, *citizen;* secondarily, *middle-class person;* by further extension, *commonplace person.* As adjective, it is often used slightingly, e.g., *il a l'air bourgeois.* For the meaning *master, employer,* see p. 76, l. 13.

62 16. **phrase consacrée :** *regular phrase used.*

62 18. **Vous êtes donc venu pour vous promener par ici ? :** *you've come to take a look at this part of the country, I suppose ?*

62 24. **j'y suis ! :** *I know what you're after !*

63 6. **en surnuméraire :** *an extra person.* — **compté d'être :** the grammars recommend the omission of *de.*

63 12–13. **a de quoi attirer les épouseurs, et elle n'aura que l'embarras du choix :** *has what brings along the men* (i.e., she is a good match), *she can have her pick.*

63 31. **recherche d'habillement :** *striving after effect in her dress.*

64 9. **tout simple et confiant que :** *simple and trustful though.*

64 17–18. **y parut sensible :** *seemed pleased by it.*

64 22–23. **boudez contre votre verre :** *make a sour face at your wine.*

64 28. **de son fait :** *of victory.*

64 29. **sa prétendue défaite :** *the insinuation that he was overcome by her charms.*

64 32–33. **pour qu'elle admît leurs pretentions :** *for her to allow them to entertain any expectations.*

66 8–9. **aussi par trop timide ! :** *too bashful altogether !*

66 14. **Ce n'est pas une raison :** cp. p. 51, l. 33.

66 18. **la place déjà entourée d'assiégeants :** this figure of speech seems to be almost too literary for a *paysan.*

66 23. **est à marier :** *has been accepting attentions (willing to accept an offer).*

66 26. **eveillée :** *wide-awake;* probably used here in sense of *flighty.*

67 6. **Chacun son goût :** more commonly *chacun a son goût.*

67 8. **à supposer :** cp. p. 39, l. 10.

67 11–12. **rester le nez au vent :** *to hang about here.* Cp. note on p. 28, l. 6. The figure is taken from the attitude of a dog discovering game.

67 21–22. **donnez à connaître que vous vous mettez sur les rangs :** *let it be known that you are going in for her.*

67 26. **l'entend :** *pleases.*

67 29–30. **tourner autour d'une :** *be dancing attendance on a.*

68 2. **si bien que :** cp. note on p. 55, l. 13.

68 12. **aussi bien :** *moreover.*

69 8. **N'eût-il pas été . . . encore:** *even if he had not been.*

69 14. **une chôme** (*prov.*[1]): *open pasture-land* (frequently *common*).

69 27. **Ils se sont en allés:** popular for *ils s'en sont allés.*[2]

71 23–24. **c'est un gaillard endiablé pour courir après:** *he's crazy after.*

72 20–21. **par une belle nuit de grand orage:** *one wild stormy night.* Logically *belle* reinforces *grand orage.*

73 11. **habillé comme un demi-bourgeois:** *in dress midway between a peasant and a shopkeeper.* See note on p. 62, ll. 12–13.

73 13. **de suite:** should be *tout de suite. De suite* means *successively,* but it is often misused.

73 31. **grand'chose, à coup sûr:** *much, you may be sure.*

74 6. **Je veux en avoir le cœur net:** *I mean to get to the bottom of this.*

74 18. **Attendez!:** *halloo! what's this!*

75 26–27. **Je m'en doutais bien, dit Germain à demi-voix; mais c'est égal:** *I guessed so, said Germain in an undertone; but just the same.*

76 1–2. **Et qu'il ne soit plus question de ça. . . . Je repasserai par chez vous:** *and we'll not say any more about that. . . . I'll come along your way.*

76 25. **d'engager la partie:** *come to close quarters* (*begin the game*).

76 32. **Homme de peu de cœur!:** *you poor coward!*

77 9. **Tu me fais peine!:** *you disgust me!*

78 6. **arrivées:** *newcomers.*

78 9 ff. The *et puis alors* and *comme ça* of this page are intended to be an imitation of the speech of a child.

78 23. **moi:** ethical dative.

78 28. **il a été sorti:** the child's mistake. The compound tenses of the auxiliary may not be used with neuter verbs.

79 28–29. **Il s'agissait maintenant de s'expliquer:** *he had to prepare now for an explanation.*

80 22. **l'amitié ne se commande pas!:** *love doesn't come to order!* A *résumé* of George Sand's philosophy in her first novels.

83 16. *Ne* omitted; inaccurate speech of the peasant. — **Fanchette:** *Fanny.*

83 18. **Rosette:** *Rosy.*

83 25. **confiant avec moi:** *willing to take me into your confidence.*

84 18. **Vous êtes d'un grand courage:** *you have plenty of energy.*

---

[1] Jaubert (*Glossaire du Centre de la France*) spells this word *chaume,* and adds that it is met in many parts of France. Literary French recognizes only *chaume* (m.), *stubble, thatch.*

[2] This popular error is due to analogy with reflexive verbs which begin with *en* (*em*): *s'emporter, s'enfuir, s'endormir,* etc. (Keil).

84 20. **Je ne conçois pas :** *I don't understand how.*

84 29. **honnéte de sa part :** *well-behaved of her.*

85 7–8. **je crains bien que c'est :** the correct grammatical construction is *que ce ne soit.*

85 20. **bonne amie :** *sweetheart.*

87 15. **seulement:** *even.*

VOCABULARY

THE vocabulary contains two classes of renderings, general and special. By *general* are meant those which belong to a word taken by itself (in so far as such are possible); by *special*, those which correspond to a particular place in the text. The former are given first, in order that the pupil may distinguish easily and learn meanings which will be applicable elsewhere. With the help of the latter, the pupil should be able to translate into tolerably idiomatic English; they should be learned only in connection with their place in the text. Words which have approximately the same form in English are not given except when the meaning is different, or when, the meaning being the same, it is considered desirable to forestall the pupil's disposition to accept the word most easily found and not look for the best. Students need to be constantly reminded that the farther we get away from the isolated word, through the ascending scale of phrase, sentence, paragraph, etc., the nearer we come to the true unit of language. The vocabulary, although full, does not include such special renderings as the average pupil would unquestionably profit by working out for himself.

The irregular parts of verbs are given and referred to their infinitives excepting in those cases in which they would be immediately adjacent to them.

LIST OF ABBREVIATIONS

adj(ective)	infin(itive)
adv(erbial)	interj(ection)
antiq(uated)	m(asculine)
attr(ibutive)	neg(ative)
conj(unctional)	n(oun)
etym(ologically)	phr(ase)
exclam(ation)	plur(al)
fam(iliar)	prep(ositional)
f(eminine)	pron(oun)
fig(urative)	prov(incial)
' h = h aspirée	trans(itive)

VOCABULARY

A

abandonner, to forsake, give up.

abattre, to beat down, fell, slaughter; s'—, to fall (down).

abord: d'—, first (ly), at first, in the first place; **tout d'—**, from the very beginning (outset).

aboyer, to bark.

abreuvoir, *m.* watering place, horse trough.

abriter, to shelter.

abrutir, to brutalize, besot, stupefy.

absolument, absolutely.

abuser (de), to abuse, misuse; s'—, to be mistaken.

accabler, to overwhelm, weigh down, fill with despondency, cast down.

accomplir, to accomplish.

accord, *m.* agreement; **mettre d'—**, to reconcile.

accorder, to grant; s'—, to agree.

accoucher, to be confined (*in childbed*), have a child.

accoutumé, accustomed, usual, customary.

accroire, to believe (*used in the infin. only*).

accroître: s'—, to increase, grow.

acéré, sharp, keen.

acheter, to buy, purchase.

achever, to finish, complete.

acquérir, to acquire, gain, make.

acquit, *m.* quittance, discharge.

adhésion, *f.* adherence, approval.

adieu, good-by.

admettre, to admit, allow.

admis, *see* **admettre**.

adroit, skillful, clever, quick, nimble, handy.

affaiblir, to weaken.

affaire, *f.* affair, business, something to do; **avoir — à**, to have to deal with; **faire ton —**, to suit you; **les affaires**, business.

affamé, famished, hungry, starved.

affreux, -se, frightful, dreadful, hideous.

afin de, in order to; **— que**, in order that.

âge, *m.* age; **en —**, grown up, old enough.

agenouiller: s'—, to kneel down.

agir, to act; s'— de, to be question of; **il s'agit de**, is in question, one's business is to.

agité, restless, disturbed.

agiter: s'—, to be agitated, toss, shake, move, be in motion.

agneau, *m.* lamb.

agréer, to accept; **te faire — à**, get yourself accepted by, win (*e.g., a wife*).

agreste, wild, rustic.

aider, to aid, help.

aiguillon, *m.* goad, prick.

aille, *see* aller.

ailleurs, elsewhere, in other places; d'—, besides, furthermore.

aimable, amiable, nice, lovely.

aimer, to love, like, be fond of; — **mieux,** to prefer; **j'aimerais mieux,** I would rather; **j'aimerais autant,** I would just as soon.

aîné, elder, eldest; *as n.* oldest boy, older brother, etc.

ainsi, thus, so, in this way; — **que,** as well as.

air, *m.* air, appearance, look.

aisance, *f.* easy circumstances, competency, means.

aise, glad, pleased.

aise, *f.* ease, joy; **être à son** —, to be comfortably off, pretty well to do, in easy circumstances; **mal à l'**—, uncomfortable.

aisé, easy.

ajouter, to add.

allée, *f.* alley, lane, walk, path (*generally between rows of trees*).

alléger, to lighten, ease.

allègre, cheerful, joyful; lively, active.

aller, to go (along); **allons!** come (along)! what! look! here! well (then)! halloo! **allez!** well! come! I tell you! etc.; **s'en** —, to go (move) away, go off; grow less.

allumer, to light, kindle.

allure, *f.* gait, pace.

alors, then; (*exclam.*) well!

alouette, *f.* lark.

amant, *m.* lover.

amasser, to amass, save (up).

âme, *f.* soul; mind, character; creature.

amender, to amend, improve.

amener, to bring (about, on), accomplish.

amer, -ère, bitter.

amitié, *f.* friendship, friendliness affection, fondness, love.

amour, *m.* love.

amoureux, -se, in love; *as n.* lover.

ange, *m.* angel.

anguleux, -se, angular; rough, rugged.

animer, to animate; stir up, make to burn up.

année, *f.* year.

annoncer, to announce, advertise; indicate, show.

anticiper, to anticipate.

antique, antique, old, ancient.

apaiser, to soothe, quiet (down).

apathie (*tee*), *f.* apathy, listlessness.

apercevoir, to perceive; **s'— de,** to perceive, notice, observe.

apologue, *m.* fable.

apparemment, apparently.

appartenir, to belong.

appeler, to call, name; **elle s'appelle,** her name is.

appesantir: s'—, to grow heavy.

appétit, *m.* appetite; **avoir grand** —, to have a good appetite, be very hungry.

apporter, to bring.

apprécier, to appreciate, value.

apprendre, to learn, find out; teach.

appris, taught, brought up; mieux —, better mannered, better behaved.

approcher, to bring (put, come) near; s'— de, to approach, come near.

approprier, to appropriate, adapt.

appuyer, to support; lean, rest; s'—, to lean.

après, after; d'—, according to, judging by, by, from; — dîner, in the afternoon.

arbre, *m.* tree.

ardent, ardent, spirited, fiery, mettlesome, keen, eager.

ardeur, *f.* ardor, spirit, heart (for one's work).

areau (*prov.*), *m.* plow.

arène, *f.* arena, scene.

argent, *m.* silver, money.

arracher, to snatch, wrest, tear away, tear off, pull away.

arranger, to arrange, fix (*Amer.*); suit; s'—, to settle (oneself) down; turn out.

arrêt, *m.* sentence, judgment.

arrêter, to arrest, stop, check; s'—, to stop, pause.

arriver, to arrive, come; occur, happen.

arroser, to water.

asseoir, to establish, place; s'—, to sit (down).

asseyant: s'—, *see* s'asseoir.

assez, enough, sufficiently, rather, pretty (*adv.*), quite, a good deal.

assiégeant, *m.* besieger.

assiette, *f.* position, seat, situation; state (of the mind), temper.

assis, seated, sitting; *see* s'asseoir.

assit: s'—, *see* s'asseoir.

assoupir, to make drowsy, lull, hush (to rest).

assurance, *f.* assurance, confidence.

atours, *m. plur.* attire, ornaments; beaux —, finery.

attacher, to attach, fasten, connect; s'— à, to attach oneself to, cling to, devote oneself to, grow fond of, apply oneself to, be intent on.

atteindre, to attain, reach, accomplish.

attelage, *m.* team, yoke.

attendre, to wait; wait for, await, expect; en attendant, meanwhile, in the meantime; s'— à, to expect.

attendrir, to affect, move, touch.

atténuer, to attenuate, palliate, temper, lessen.

attirer, to attract, draw, bring (along), take.

attraper, to catch, take.

attribuer, to attribute, ascribe.

auberge, *f.* inn.

aubergiste, *m.* innkeeper.

aucun, any; ne . . . —, no, none.

augmenter, to increase, enlarge.

aujourd'hui, to-day.

auparavant, before, first.

auprès de, near, by, beside, with; to, up to.

aussi, as, so, also, too.

aussitôt, immediately; — que, as soon as.

autant, as (so) much *or* many; as well; d'— plus, all the more.

automne, *m.* autumn.

autoriser, to authorize.

autour (de), around, about.

autre, other, else, further, next ;
nous autres, vous autres,
we, us, you. (*There is, however, a slight suggestion of contrast in these expressions.*)

autrefois, formerly.

autrement, otherwise, or else, in
any other way, in other ways,
different(ly).

avaler, to swallow.

avance : d'—, beforehand.

avancer, to advance, go on, come
forward.

avant (*referring to time*), before,
within ; — que, *conj. phr.* before ;
en —, forward, ahead, on.

avant-dernier, last but one.

avant-propos, *m.* preface, introduction.

avenir, *m.* future.

aventure, *f.* adventure.

avenue, *f.* way, road.

avertir, to warn, inform, speak to
(one) about, tell about, let know ;
faire —, to send word beforehand to.

aveugle, blind.

avilir, to debase, degrade.

avis, *m.* opinion, mind ; être d'—,
to be of opinion ; approve
(of).

avisé, prudent, circumspect,
thoughtful (*of a person who looks
ahead*), knowing.

aviser à, to think of (over), consider, see about (to) ; s'— de, to
notice, think of.

avocat, *m.* lawyer.

avouer, to admit, confess, own
(up).

B

babiller, to prattle, chatter, talk
baby talk.

badiner, to frolic, play, sport.

baigner, to bathe.

bâiller, to yawn.

baïonnette, *f.* bayonet.

baisser, to lower.

banc, *m.* bench.

bande, *f.* band, party, company.

bandit, *m.* bandit, robber.

barrer, to bar, obstruct, block.

bas, -se, low, down.

bas, *adv.* low, down ; à —, down ;
là-bas, down yonder.

bât, *m.* pack saddle.

bâtiment, *m.* building.

bâtine, *f.* pack saddle (*padded and
covered with coarse linen*).

bâtir, to build.

bâton, *m.* stick, staff.

battaison (*prov. ; the regular
French word is battage), *f.*
threshing.

battre, to beat, lash ; se —, to
fight.

bavard, talkative ; *as n.* tattler,
gossip.

béant, gaping.

beau, bel, belle, beautiful, fine-
looking, handsome, fine ; *as n.*
the beauty ; avoir beau, *with
infin.* to be in vain that one, be
useless for one ; au — milieu,
in the very middle.

beaucoup, much, a great deal ;
many, a great many.

beau-frère, *m.* brother-in-law.

beau-père, *m.* father-in-law.

beauté, *f.* beauty.

belle-mère, *f.* mother-in-law.

belle-sœur, *f.* sister-in-law.

bénir, to bless.

berger, -ère, shepherd, shepherdess.

bergerie, *f.* sheepfold, sheep farm.

besogne, *f.* task, work, business.

besoin, *m.* need, want; **au —**, if need be; **avoir — de**, to need, want.

bestiaux, *m. plur.* cattle.

bétail, *m.* cattle.

bête, *f.* beast, animal; fool; **les bêtes**, the cattle; *as adj.* stupid.

bêtise, *f.* stupidity, silliness; blunder.

biche, *f.* hind, doe.

bien, *adv.* well, (very) much, quite, perfectly, completely; cleverly; indeed; *as attr.* comfortable, nice; *as n. m.* property; good.

bien-être, *m.* well-being, comfort, welfare.

bienfait, *m.* benefit, benefaction.

bien que, although.

bientôt, soon, shortly.

bis, brown (*usually said of bread*).

bizarre, odd, strange, singular.

blâmer, to blame, find fault with.

blanc, -che, white.

blancheur, *f.* whiteness.

blé, *m.* wheat, grain, corn.

blesser, to wound, hurt.

bleu, blue.

bleuâtre, bluish.

blond, fair.

blonde, *f.* blond lace (*a fine kind of silk lace*).

blouse, *f.* blouse.

bœuf, *m.* ox.

boire, to drink.

bois, *m.* wood, forest.

boîte, *f.* box.

boiteux, -se, lame, limping.

bon, -ne, good; kind, kindly, fine, first-rate, pleasant, trusty, sound, right, lucky, "handy," suitable, fair, warm, etc.; **tout de—**, *adv.* in good earnest.

bondir, to bound, leap.

bonheur, *m.* happiness.

bonhomme, *m.* worthy man, good simple man; (*speaking of or to a child*), fellow, chap.

bonjour, *m.* good day, how do you do, good morning, good-by.

bonté, *f.* goodness, kindness.

bord, *m.* bank, brink, edge.

border, to edge, fringe, line.

bordure, *f.* border; hedge, fence.

borgne, one-eyed.

borné, narrow-minded, of mean (limited) intelligence, of restricted education.

bouche, *f.* mouth.

bouder, to pout, sulk, be sullen.

bouffon, -ne, buffoonish, farcical, jocose, funny.

bouger, to budge, stir, move.

bouleau, *m.* birch tree.

bourgeois, *m.* citizen, townsman, burgher; employer, master; middle class person; person of common tastes.

bourgeonné, pimpled.

bourse, *f.* purse.

bout, *m.* end, bit, tip; **venir à —de**, to succeed in.

bouteille, *f.* bottle.

bouvier, *m.* cowherd, oxherd.

braise, *f.* (live) coals, embers.

brande, *f.* heath.

bras, *m.* arm; **avoir quelqu'un sur les —,** to have some one to look after.

brave, brave, plucky; honest, worthy, fine, good, etc.

brèche, *f.* breach, gap.

bride, *f.* bridle, reins.

briller, to shine, sparkle, shoot up.

briquet, *m.* tinder box, steel (*for striking a flint*).

brise, *f.* breeze.

briser, to break.

broche, *f.* spit.

brouillard, *m.* mist, fog.

brouiller, to set at variance, make discord (mischief) between; **se —,** to fall out, quarrel.

broussailles, *f.* brushwood, thicket; *plur.* bushes, brambles, etc.

bru, *f.* daughter-in-law.

bruit, *m.* noise, rumor, talk, discussion.

brûler, to burn.

brume, *f.* fog, mist, haze.

brun, brown, dark (-haired, -skinned, -complexioned).

brune, *f.* dusk.

brunir, to brown, burn (*of the sun*).

brusque, sudden, sharp.

brusquement, suddenly.

brutal, brutal, rough.

bu, *see* boire.

bûcher, *m.* wood pile, fire of sticks.

bûcheron, *m.* woodcutter.

buisson, *m.* bush, thicket; **rose de buissons,** wild rose.

but, *m.* aim, purpose, object.

buvait, *see* boire.

buveur, -se, drinker, toper.

C

ça (cela), that, it; he, she.

çà, *adv.* here; *as interj.* now! well!

cabane, *f.* cabin, hut, hovel.

cabaret, *m.* wine shop, tavern.

cabaretier, -ère, tavern keeper.

cacher, to hide, conceal.

cadeau, *m.* present.

café, *m.* coffee, coffeehouse.

caille, *f.* quail.

caler, to wedge up, prop up.

câlin, wheedling, cajoling, coaxing.

calmer, to calm, quiet (down).

camarade, *m. and f.* comrade, mate, fellow; **mes camarades,** my friends.

campagne, *f.* country (*as opposed to town*), country district, plain, stretch of country, field; *plur.* fields, country.

candeur, *f.* candor, simplicity, innocence.

cantine, *f.* canteen.

cantinière, *f.* sutler woman, canteen keeper.

cantonnier, *m.* road laborer, road mender.

capable, capable, able.

cape, *f.* cape, cloak.

caprice, *m.* caprice, whim, notion.

car, for, because.

caractère, *m.* character.

cas, *m.* case; **faire grand — de,** to think highly (much) of.

casser, to break, snap.

cause : **à — de,** for the sake of, on account of; **à — que,** because.

causer, to chat, talk, have a chat (talk).

cave, *f.* cellar.

céder, to yield, give way; give up.

celui-ci, celle-ci, this one, the latter.

celui-là, celle-là, that one, the former.

cendre, f. ashes.

cependant, meanwhile; however, yet.

certes, certainly, indeed.

cerveau, m. brain.

cesse, f. ceasing; sans —, continually, unceasingly.

cesser, to cease, stop.

chacun, each one, each, every one.

chagrin, m. grief, sorrow, trouble(s), vexation, annoyance.

chagriner, to grieve, distress, trouble.

chaise, f. chair.

champ, m. field; plur. fields, farm, country.

champêtre, rural, of rural life.

chanson, f. song.

chant, m. song.

chanter, to sing (of).

chanteur, -se, singer, musician.

chanvreur (prov.; the regular French word is chanvrier), m. hemp dresser.

chapeau, m. hat.

chaque, each, every.

charbon, m. coal, charcoal.

charge, f. load, office; plur. cares, responsibilities.

charger, to load, burden; se — de, to take charge of, undertake (to).

charmer, to charm, beguile, while away.

charrue, f. plow.

chasser, to hunt, drive away (out of one's mind, etc.).

chasseur, -se, hunter, huntress.

chat, m. cat.

châtaigne, f. chestnut.

châtiment, m. chastisement, punishment.

chaud, warm, hot; as n. m. heat, warmth; faire —, to be warm.

chauffer, to warm.

chaumière, f. (thatched) cottage, hut.

chaux, f. lime.

chef, m. chief, head.

chemin, m. road, way.

chêne, m. oak, oak tree.

chènevière, f. hemp field.

cher, -ère, dear.

chercher, to seek (out), look for; endeavor, try.

chétif, -ive, puny, poor-looking, sickly.

cheval, m. horse; à —, on horseback.

chevaline, f. adj. of the horse family; bête —, horse, mare.

cheveu, m. hair.

chèvre, f. (she-) goat.

chevreau, m. kid.

chevreuil, m. roebuck.

chez, at, to or in one's house, in, among, with.

chien, m. dog.

chimère, f. chimera, idle fancy, absurd notion.

choisir, to choose.

choix, m. choice.

chôme (prov.), f. pasture.

chose, f. thing.

christianisme, m. Christianity.

chute, f. fall.

ciel (plur. cieux), m. heaven, sky; — (plur. ciels), m. tester, canopy over a four-post bedstead.

cimetière, *m.* cemetery, grave-yard.

clair, clear; bright, shining; clear-sighted; — **de lune,** moonlight.

clairet, *m. adj.* pale (*of wine*), pale-colored, light.

clairière, *f.* glade, cleared space in a forest.

clairvoyance, *f.* clear-sightedness.

clapotement, *m.* splashing.

claquer, to clack, smack, chatter, (*of teeth*); **faire —,** to snap, crack.

clarté, *f.* clearness, light.

clef, *f.* key.

cligner (de l'œil), to wink.

cloche, *f.* bell.

clocher, *m.* steeple.

cœur, *m.* heart, courage; **de bon —,** heartily.

coiffer, to dress the hair; **être coiffé de** (*fig.*), to be smitten with, be taken with.

coin, *m.* corner; — **du feu,** fireside.

colère, *f.* anger; **se mettre en —,** to get angry.

coller, to stick; **se —,** to stick, cling.

colline, *f.* hill.

combat, *m.* fight, struggle.

combattre, to combat, fight; **se —,** to fight (each other), clash.

combien, how much, how many.

combler, to heap (up), fill (in).

commander, to command, order (about), bid; **se —,** to be ordered.

comme, as, like, as if, as well as, just as, as much as, as it were; how; since, etc.; — **il faut,** well-bred, fine and sensible.

commencer, to begin.

comment, how; why! what!

commentaire, *m.* comment.

commission, *f.* errand; **faire une —,** to do an errand, give a message.

commode, convenient, "handy," easy to manage.

commun, common, general.

communal (*antiq. as subst.*), *m.* common land, common.

compagnie, *f.* company; **de —,** together.

compagnon, *m.*; **compagne,** *f.* companion, partner.

comparaître, to appear.

compassion, *f.* compassion, pity.

compatir à, to sympathize with, have compassion for.

complaisance, *f.* complacency, obliging disposition.

comporter, to allow, admit of.

comprendre, to understand.

compte, *m.* account, reckoning; **se rendre — de,** to understand, arrive at an (intelligent) understanding of.

compter, to count, reckon; rely, expect.

concert, *m.* concert, union; **de —,** in union.

concevoir, to conceive, imagine, entertain (*an idea, doubts, etc.*).

condition, *f.* condition, state; service; *plur.* terms, bargain.

conduire, to conduct, guide, lead; take (with); escort; manage, drive; **se —,** to behave; find one's way.

conduite, *f.* conduct, behavior.

confiance, *f.* confidence; **avec —,** confidently.

confiant, confiding, trustful, un-suspecting.

confier, to confide, intrust.

connaissais, connaissait, see connaître.

connaissance, f. knowledge, ac-quaintance.

connaître, to know, be acquainted with.

consacrer, to devote, appropriate.

conseil, m. advice.

conseiller, to advise, counsel.

consentement, m. consent.

consentir, to consent, agree.

conséquent: par—, consequently.

conserver, to preserve, keep, retain, save; se — (of a person), to stay young, wear well.

consoler, to console, comfort, bring comfort to; se — de, to get over the loss of.

consommé, consummate, perfect, accomplished.

constant, constant, certain, un-doubted.

consulter, to consult; keep in mind.

consumer, to consume, use up, wear out.

contenir, to contain; restrain.

content, satisfied, pleased, glad.

contenter, to satisfy, do as (one) wishes; se — de, to be satisfied with, put up with.

conter, to relate, tell; en — à, to make love to.

contient, see contenir.

contour, m. outline.

contraire, contrary; au —, on the contrary.

contre, against; towards.

contrée, f. country, region.

contribuer, to contribute, help.

convaincre, to convince; se —, to satisfy oneself.

convenable, suitable, proper.

convenir, to agree; — de, to ad-mit, agree on; — à, to suit.

convenu, agreed (on), settled, granted.

convertir, to convert, change; se —, to be transformed.

convient, conviennent; con-viendrai; conviendriez, see convenir.

convier, to invite.

copieux, -se, copious, abundant, substantial.

corbeille, f. basket.

cordelette, f. (small) cord, string.

corne, f. horn.

cornette, f. mobcap, cap.

corps, m. body, form, person.

corrompre, to corrupt.

côte, f. rib; hill.

côté, m. side; part; direction; aspect; le bon —, the right side; à — de, beside, next to; du — de, in the direction of, towards, to; de —, sidewise.

cotillon, m. petticoat.

côtoyer, to coast along, keep near.

cou, m. neck.

couché, lying, set, in bed.

coucher, to lay down, put down, lay (set) back, lay flat, put to bed; sleep, spend the night; se —, to lie down, go to bed; set (of the sun).

coucher, m.: — du soleil, sun-set.

couler, to flow, run.

coup, *m.* blow, stroke; — d'œil, look, glance; — de pied, kick; — de sabre, saber cut, sword cut; à — sûr, certainly, assuredly; tout à —, tout d'un —, all at once, suddenly; pour le —, this time.

coupable, guilty, sinful.

coupe, *f.* cup.

couper, to cut, cut off (down).

cour, *f.* court, yard; following; faire la —, to court.

courage, *m.* courage, heart, good heart, spirit, ardor, energy (*in presence of an obstacle to be overcome*).

courageux, -se, bold, fearless, plucky (at one's work).

courir, to run, run (gad) about, hasten, trot, race, chase, pass, etc.

courroie, *f.* strap, thong.

courroucé, wrathful, angry.

courroucer, to anger.

cours, *m.* course, direction.

coursier, *m.* steed.

court, short, brief.

courtisan, *m.* courtier, flatterer.

courtiser, to court, flatter.

coûter, to cost.

coutume, *f.* custom; de —, usually, usual; avoir —, to be accustomed.

couvert, *m.* cover; à —, under shelter.

couvrir, to cover.

craindre, to fear, be afraid.

crainte, *f.* fear, dread.

cramponner: se — à, to take tight hold of.

craquer, to crack, crackle, snap.

crèche, *f.* manger, crib.

crépir, to roughcast, roughcoat, plaster.

creuser, to dig (out), excavate, hollow (paw, plow) out, hollow (one's cheeks).

critiquer, to criticise, pick out faults in, find fault with, talk about (*unfavorably*).

crocheter, to pick (the lock of).

croire, to believe, think, consider, deem; faire —, to persuade, insinuate.

croiser, to cross, fold.

croître, to grow, increase.

croix, *f.* cross.

croupe, *f.* crupper; en —, behind.

cru; crut, *see* croire.

cuire, to cook, bake, etc.; faire —, to bake, roast, etc.

cultivateur, *m.* farmer.

curé, *m.* curate, vicar, parish priest.

D

dame! oh! indeed! why! well! now!

davantage, more, longer.

de, of, on, in, since; than, etc.

décharné, fleshless, emaciated, gaunt, lean.

déchirer, to tear, rend.

décidément, decidedly, positively.

décider, to decide; induce; settle; décidé, resolved, certain; se — à, to make up one's mind to.

décourager, to discourage.

découvert, uncovered; à — (*cp.* couvert), uncovered, exposed.

dédain, *m.* disdain, scorn.

dedans, within, in (into) it; là — dedans, therein, in it.

dédommagement, *m.* compensation.

dédommager, to indemnify, compensate.

défaite, *f.* defeat, conquest.

défaut, *m.* defect.

défendre, to defend; forbid; **se — de,** to forbear, help (doing), refrain from, fight (against).

défricher, to clear (*of ground*), bring into cultivation.

défunt, deceased.

dégagé, free, off-hand, (over) easy.

dégager, to free, disengage, loosen, clear, pull out.

dégoûter, to disgust, give a dislike to.

déguiser, to disguise.

dehors, out, without, out of doors, outside.

déjà, already.

déjeuner, to breakfast, lunch.

délicatesse, *f.* delicacy, tact.

délier, to untie, loosen; **se —,** to be loosed.

déloyauté, *f.* disloyalty, dishonesty, falseness, unfairness, lack of frankness.

demain, to-morrow.

demander, to ask, beg (for), demand, ask (inquire) for.

demeurer, to live, stay.

demi, half, semi; **à —,** (by) half, in a half-hearted way.

dénier, to deny, refuse.

dent, *f.* tooth.

dentelle, *f.* lace.

départ, *m.* departure, leaving; **point de —,** starting point.

dépasser, go past, leave behind, exceed.

dépayser, to send away from home, remove, transplant.

dépendre de, to depend on.

dépense, *f.* expense, expenditure, outlay; **faire de la —,** to spend money.

dépenser, to spend.

dépit, *m.* spite, vexation, annoyance, ill humor; **prendre du —,** to be annoyed; **avec —,** pettishly.

déplaire (à), to displease.

déplaisir, *m.* displeasure, annoyance.

déplorable, lamentable, dismal, mournful.

déplurent, *see* **déplaire.**

déposer, to lay down.

dépouiller, to despoil, strip, rob.

dépourvu, unprovided; **au —,** unprovided, lacking; unawares, unexpectedly.

depuis, *prep.* since; **— que,** *conj. phr.* since.

déraison, *f.* unreason, foolishness.

déranger, to disturb, interfere with, upset; **se —,** to disturb oneself, put oneself out; slip out of place; go astray (wrong).

dernier, -ère, latter, last, utmost, final.

derrière, behind.

dès, *prep.* from, since; **— que,** *conj. phr.* as soon as; **— aujourd'hui,** from now on, already.

désagrément, *m.* disagreeableness, unpleasantness.

désarçonner, to unhorse.

descendre, to descend, go down, alight, get off, etc.

désespéré, desperate, in despair.

désespérer, to make desperate; to despair.

désespoir, *m.* despair.

désireux, desirous, anxious.

désordre, *m.* disorder.

dessein, *m.* design, plan, intention, purpose; avoir —, to intend.

dessous, *prep. and adv.*, under, below; au — (de), under, beneath; par —, underneath.

dessus, *prep. and adv.*, over, above, on (it); là-dessus, thereupon, on that matter (point, etc.), upon it; par —, over; au — (de), above.

détacher, to detach, remove.

détail, *m.* detail, particular; en —, retail, piecemeal, bit by bit.

détendre, to loosen, slacken; se —, to relax.

détester, to hate.

détourner, to turn aside (away, etc.).

détresse, *f.* distress, misfortune, adversity.

deuil, *m.* mourning; finir son —, to go out of mourning.

devancier, *m.* predecessor, forerunner.

devant, before, in front of; au-devant de, to (come to) meet; make advances to; *as n.* front.

devenir, to become, turn (to, out); — fou, to go mad.

deviner, to guess.

devint, *see* devenir.

deviser, to talk, converse, discourse.

devoir, to owe (it), be indebted to (one) for, be under obligations to, "ought," "should," have to, be to, be destined to, "must"; se —, to be due, be right, be one's duty.

devoir, *m.* duty, task.

dévouer, to devote.

devrais, devrait, devriez, *see* devoir.

diable, *m.* devil; *as interj.* the deuce; au —, the devil take.

diamant, *m.* diamond.

diantre, *m.* (the) deuce.

dicter, to dictate, say.

diète, *f.* diet, food; faire —, to diet, go on short commons, fast.

Dieu, *m.* God; (in exclamations) goodness! le bon —, God.

différend, *m.* difference, disagreement.

difficile, difficult, hard; hard to please; faire la —, to be fastidious, particular, etc.

digne, worthy, fit.

dimanche, *m.* Sunday.

diminuer, to diminish, lessen.

dire, to say, tell.

diriger, to direct, guide; se —, to bend one's steps, make one's way.

disait, disaient; disant; dise, disent, *see* dire.

disparaître, to disappear, vanish.

dispenser, to exempt, free from the necessity.

dispos, agile, nimble, active, alert; cheerful.

disposer, to dispose, arrange; incline; se — à, to prepare to, get ready to.

disputer, to dispute, discuss; se —, to quarrel, have a dispute, have words; fight for, quarrel over.

dissiper, to dissipate, scatter; se —, to scatter, clear away, be dissipated, rise (of a fog).

distraire, to distract, divert, take one's mind off; se —, to divert one's mind (oneself).

distrait, absent-minded.

dit ; dites ; dît, see dire.

divaguer, to ramble; me fait —, makes my mind wander.

divertir, to divert, entertain; se —, to amuse oneself.

divin, divine, godlike.

doigt, m. finger; un — de vin, a drop of wine.

dois, doit, doivent ; doive, see devoir.

domaine, m. domain, estate, property (consisting of lands, woods, houses, and barns), farm; province.

dominer, to rule (over).

donc, therefore, then, so.

donner, to give, hand, set (an example); state.

dont, of whom, whose, with whom.

doré, golden.

dormir, to sleep.

dos, m. back.

doucement, sweetly, quietly, softly, gently; as interj. softly ! not so fast !

douceur, f. sweetness, gentleness.

douleur, f. pain, grief, sorrow, suffering, anguish.

douloureux, -se, painful, woeful, sorrowful.

doute, m. doubt, uncertainty; sans —, to be sure, of course, no doubt, doubtless.

douter, to doubt; se — (de), to suspect, think; have any idea of (after neg.).

doux, -ce, sweet, gentle, mild, sweet-tempered, pleasant.

dresser, to erect, prick up (one's ears).

droit, straight, right, direct, upright, sound; as adv. directly; tout —, straight (off, on).

droit, m. right.

drôle, m. rogue, scamp; as adj. droll, funny, queer, amusing.

dû, due, (see devoir), due.

dur, hard, severe.

durer, to last.

E

eau, f. water.

écart, m. step aside; faire un —, to spring aside, shy (of a horse).

écarter, to put aside, remove, drive away.

échanger, to exchange.

échanson, m. cupbearer.

échine, f. spine, back.

éclaircir, to clear; s'—, to lighten, clear (away, up).

éclat, m. splendor; burst; rire aux éclats, to burst into laughter.

écouter, to listen (to); écoute ! écoutez ! look here !

écraser, to crush.

écrier : s'—, to cry out, exclaim.

écrire, to write.

écriture, f. writing.

écu, *m.* crown (*old French coin of varying value*); ses écus, her dollars (money).

écurie, *f.* stable.

effarer, to terrify, frighten.

effet, *m.* effect, result; en —, indeed; les effets, possessions, things.

efflanqué, lean, thin, lank.

efforcer: s'—, to strive, endeavor.

effrayer, to frighten, alarm, terrify; effrayant, alarming, fearful; effrayé, afraid, frightened.

effroi, *m.* fright, dismay, dread, alarm.

effroyable, frightful.

égal, equal, even, indifferent; steady; ça m'est —, that is all the same to me.

égaré, strayed, having lost one's way.

égayer, to enliven, cheer; s'—, to make merry, cheer up.

église, *f.* church.

égoïsme, *m.* selfishness.

élancer, to dart; s'—, to dart, bound, spring, dash.

élégant, elegant, shapely.

élever, to raise, bring up; élevé, grown up; s'—, to rise, arise, exalt oneself.

éloigner, to remove, drive (keep) away, turn aside, hold aloof; éloigné, remote; s'—, to withdraw, depart, go (some distance) away.

embarras, *m.* embarrassment, difficulty.

embarrasser, to embarrass, trouble, bother, give trouble (bother, difficulty) to, hamper; be in the way; s'—de, to bother about.

embellir, to embellish.

embrasser, to embrace, kiss.

emmener, to lead (take) away (along, off, with); take.

emparer: s'— de, to take possession of, seize.

empêcher, to prevent, keep, hinder; s'—, to forbear, help (doing).

empirer, to grow worse.

emporter, to bear off, carry away (off).

ému, moved, excited.

en, *pron.* of it, by it, for that, on account of that; *prep.* in the quality of, as, etc.

encadrer, to frame, encircle, surround, encompass.

enclos, *m.* inclosure, field.

encore, still, yet, again, more, even, too, even then, furthermore.

endiablé, bewitched, possessed, mad.

endormir, to put (lull) to sleep, lay to rest; endormi, sleeping, asleep; s'—, to fall asleep, go to sleep.

endroit, *m.* place, spot, part; à l'— de, with regard to.

enfance, *f.* infancy.

enferges (*or* enfarges) *f. plur.* hobbles (*worn by a horse on the fore legs and connected by a chain to prevent him from straying*).

enfin, finally, at length, at last, after all, in short, at any rate.

enflammer, to inflame, set on fire; s'—, to take fire, blaze up.

enfoncer, to sink (drive, plunge) into; **s'—,** to sink.

engager, to engage, induce, enjoin on; enter upon, begin.

engraisser, to fatten.

enjoué, sportive, merry, cheerful, lively.

enlacer, to lace, clasp.

enlaidir, to make ugly, disfigure; grow ugly.

ennui (*much used in English for want of an English word to express precisely the same idea*), *m.* weariness, vexation, annoyance.

ennuyer, to weary, tire, bother, annoy; **s'—,** to be wearied (tired), get tired (lonesome).

enorgueillir, to fill with pride.

enquérir: s'—, to inquire, make inquiries.

enseigne, *f.* sign, signboard, signpost.

ensemble, together.

ensorceler, to bewitch.

ensuite, afterwards, then, subsequently.

entasser, to heap (pile) up.

entendre, to hear, listen to; heed; understand, think proper; **c'est entendu!** agreed! **en entendre parler,** to hear of it; **s'—,** to agree, get on, come to an agreement, come to terms; **s'— à,** to know how to, understand how to.

entendu, understood, agreed, settled; intelligent, skillful, clever.

entier, -ière, entire, whole; **tout entier,** with all his might.

entièrement, entirely, wholly.

entonner, to intone, strike up, begin (*a tune*).

entourer, to surround, embrace.

entraîner, to carry (bear, sweep, lead, etc.) away (into).

entre, between, among.

entre-croiser: s'—, to cross one another, intersect.

entrée, *f.* entrance.

entreprendre, to undertake.

entretenir, to keep up, support, maintain; talk to, entertain.

envelopper, to wrap up.

envers, *m.* reverse, wrong side; **à l'—,** wrong side up (out, etc.).

envers, towards.

envie, *f.* envy; wish, desire, inclination, willingness; **avoir — de,** to desire, wish, feel like, have a mind to.

environ, about.

environnant, surrounding.

environs, *m. plur.* neighborhood.

envoyer, to send.

épais, -se, thick, dense.

épaissir, to thicken; **s'—,** to become thick, thicken, grow dense.

épars, scattered.

épaule, *f.* shoulder.

éperonner, to spur.

épinard, *m.* spinach.

épine, *f.* thorn, hawthorn.

époque, *f.* epoch, period, time.

épouser, to marry.

épouseur, *m.* marrier, suitor.

épouvante, *f.* terror.

éprouver, to experience, test, try; feel.

équipage, *m.* equipment, outfit, harness, accouterments.

escabeau, *m.* stool, footstool.

esclavage, *m.* slavery, servitude.

espérance, *f.* hope.

espérer, to hope (for), expect.

espoir, *m.* hope.

esprit, *m.* spirit, intelligence, mind, wit, sense ; **faire de l'—,** to be "smart" (*Amer.*), say clever things.

esquiver, to evade, dodge ; **s' —,** to escape, slip away (*or* off, etc.).

essaimer, to swarm.

essayer, to try, attempt.

essuyer, to wipe, dry ; endure.

estomac, *m.* stomach.

étable, *f.* stable, stall.

établir, to establish ; **s' —,** to establish oneself, settle.

étaler, to display.

étang, *m.* pond.

état, *m.* state, condition ; order ; rank ; calling, business, occupation, trade ; form.

étendre, to extend, spread ; **s' —,** to extend, spread (out), stretch out ; lie down.

étincelle, *f.* spark.

étoile, *f.* star ; **à la belle —,** out of doors, in the open air.

étonner, to astonish, surprise ; **étonnant,** astonishing, wonderful.

étouffer, to stifle, choke.

étourdi, giddy, heedless, thoughtless.

étourdir, to stun, bewilder ; **s' — sur,** to deaden one's senses to.

étranger, -ère, strange, foreign ; *as n.* stranger.

être, to be, belong ; *as n. m.* being, existence.

étude, *f.* study.

évader : s' —, to escape ; **évadé,** escaped.

éveillé, awake ; lively, sprightly ; sharp.

éveiller, to awake(n), rouse, wake up ; **tout éveillé,** wide awake.

événement, *m.* event.

éviter, to avoid, shun.

exciter [eks], to excite, stimulate, stir up, urge on, arouse.

exemple [egz], *m.* example ; **par —,** for instance ; (*as exclamation of surprise*) indeed ! 'pon my word !

exiger [egz], to exact, demand, require.

expliquer [eks], to explain ; **s' —,** to have an explanation.

exprès [eks], on purpose, to order.

exprimer [eks], to express, give expression to, declare.

exténué [eks], emaciated, thin, worn out.

extérieur [eks], external.

F

fable, *f.* fable, legend.

fâché, angry, annoyed ; distressed, grieved, sorry, sorrowing.

fâcher, to anger, vex ; make (one) feel bad, worry, distress ; **se —,** to get angry, get cross.

facile, easy.

façon, *f.* shape, form ; ceremony ; **sans façons,** in an unceremonious way, offhanded, "free and easy."

faible, weak, feeble, yielding ; meager.

faiblesse, *f.* weakness, feebleness.

faillir, to fail; (*followed by infin.*) to be near, come within a hair's breadth of; faillit s'abattre, nearly fell.

faim, *f.* hungry; avoir —, to be hungry.

fainéantise, *f.* (willful) idleness, laziness.

faire, to make, do, accomplish; create; build; travel; say; — attention à, pay attention to, notice; — un pas, to take a step; — un somme, to take a nap; — un soupir, to heave a sigh; (*with infin.*) let, get, cause; — faire, to get made; — savoir, to let know; — vivre, to keep, support; — voir, to show, exhibit; se —, to be done, take place, occur, be performed, become, get, grow.

fait, *m.* fact, act, occurrence; si —, yes indeed, oh yes I do; sûr de son —, sure of accomplishing his (her) purpose.

falloir, to be necessary; il faut (faudra), one must (will have to); il te faut, you must (get), you need; s'en — (de), to be lacking.

fantôme, *m.* ghost, specter.

fardeau, *m.* burden, load.

farouche, fierce, wild.

fasse, fassions, *see* faire.

faudra; faudrait, *see* falloir.

fausser, to make false; (*in music*) put (the voice) out of tune; to sing false, grow false, get out of tune.

faut, *see* falloir.

faute, *f.* fault, mistake; — de, for want of, for lack of.

fauve, fawn-colored, tawny.

faux, -sse, false, mistaken, wrong.

fécond, fruitful.

féconder, to make fruitful.

fécondité, fruitfulness, fertility.

feindre, to feign, pretend.

feinte, *f.* feint, pretense.

femme, *f.* woman, wife.

fendre, to cleave, split.

fenêtre, *f.* window.

fer, *m.* iron; *plur.* chains.

ferai, feras, fera, ferons, ferez, feront; ferais, ferait, *see* faire.

ferme, *f.* farm, farmhouse.

fermer, to shut, close (up), fill in, stop (up).

fermeté, *f.* firmness, strength.

fermier, *m.* farmer.

feu, *m.* fire, à petit —, on a slow fire; light.

feuillage, *m.* foliage, leaves.

feuille, *f.* leaf.

feuillée, *f.* leafage, leaves, leafy branches.

feuilleton, *m.* literary portion of a political newspaper (*generally printed at the bottom of the page*).

fiancé (*word much used in English*), betrothed.

fichu, *m.* neckerchief, scarf.

fidèlement, faithfully.

fier, to trust; se — à, to trust (to), have confidence in.

fier (*pronounce the* r), -ère, proud, spirited.

fièrement, proudly, with spirit.

fièvre, *f.* fever.

figure, *f.* figure, form; face, countenance.

figurer, to figure, represent; **se —,** to imagine, fancy.

filet, *m.* net, thread.

fillette, *f.* young girl.

fin, fine, delicate; observing, shrewd, skillful, sharp, sly.

fin, *f.* end.

finesse, *f.* fineness, delicacy, subtlety.

finir, to finish, end; stop, give up.

fit, firent, *see* **faire.**

flairer, to scent, smell.

flamber, to blaze up, flame, burn (up).

flanc, *m.* side, flank.

flaque, *f.* pool, puddle.

flétrir, to blight, wither, wear down.

foi, *f.* faith; **ma —,** upon my word.

foire, *f.* fair.

fois, *f.* time (*repetition*); **à la —,** at the same time; both.

folâtrer, to frolic, flirt.

folie, *f.* folly, foolishness, extravagance.

fond, *m.* bottom; far end; depth.

fondre (sur), to pounce (on), rush (on), fall (on).

fondriere, *f.* quagmire, slough, hole.

fonds, *m.* soil, ground; stock.

font, *see* **faire.**

forçat, *m.* galley slave, convict.

force, *f.* force, strength, might; **à — de,** by dint of; **avec —,** forcibly.

forêt, *f.* forest, woods.

forme, *f.* shape, aspect.

formuler, to formulate, state, express; **se —,** to take shape.

fort, strong, loud; (*of soil*) stiff, hard to work, heavy; *as adv.* very, much, very much, hard, firmly, tight.

fosse, *f.* pit, hole, grave.

fossé, *m.* ditch.

fou, folle, mad, foolish, crazy; **devenir —,** to go crazy.

foudroyer, to smite (strike) with a thunderbolt, prostrate, overwhelm.

fouet, *m.* whip.

fouetter, to whip.

fougère, *f.* fern, bracken.

fourbe, *m. and f.* knave, rogue, cheat.

fourchu, forked, cloven.

fourrage, *m.* fodder, food for cattle.

fourré, *m.* thicket, brake.

foyer, *m.* fireplace, hearth.

fraîchement, freshly, newly.

fraîcheur, *f.* freshness (*of youth and health*), bloom; coolness.

frais, fraîche, fresh (looking), young looking; cool.

frais, *m. plur.* expense(s).

franc, *m.* franc; **pour un — de,** a franc's worth of.

franchir, to cross, pass over.

franchise, *f.* frankness, candor.

frapper, to strike, smite, stamp, slap, tap, pat, lash, etc.

frein, *m.* bit.

frémir, to shudder, tremble, quiver, shiver.

friser, to frizzle, curl.

frisson, *m.* chill, cold fit.

froid, cold, cool; *as n. m.* **avoir —,** to be cold, shiver, shudder.

front, *m.* forehead, brow.

frotter, to rub, polish, scour.

fumée, *f.* smoke.

fumer, to smoke, reek, steam.

fumier, *m.* dung heap.

fureur, *f.* fury, rage.

fusil, *m.* gun.

futur, future; *as n.* intended (future) husband (wife).

G

gage, *m.* pledge.

gagner, to gain, earn; reach, arrive (at), get to, overcome, overtake.

gai, cheerful, (feeling) lively.

gaillard, *m.* (gay) fellow.

gaîté, *f.* gayety, jollity, good humor, cheerfulness.

galant, *m.* admirer, beau (*vulg.*), sweetheart, lover, suitor.

galette, *f.* cake.

garçon, *m.* boy, fellow, lad.

garde, *f.* guard, watch; (*of persons*) *m.* guard, guardian, watch.

garder, to keep, guard, keep guard over, herd, look after.

garnement, *m.* scamp; mauvais —, worthless rascal.

garnir, to furnish, adorn, trim, cover, line.

gars, *m.* lad, young fellow.

gâter, to spoil.

gauche, left; awkward, ill at ease.

gaule, *f.* rod, pole, switch, stalk.

gendarme, *m.* policeman.

gendre, *m.* son-in-law.

gêner, to trouble, bother; give trouble, be in the way; ne pas se —, to make oneself at home, not mind (*i.e.*, not impose constraint on oneself on account of another's presence).

genêt, *m.* broom (*plant*).

génie, *m.* genius.

genou, *m.* knee; se mettre à genoux, to kneel down.

genre, *m.* kind.

gens, *m. and f. plur.* people; — de campagne, country people, farmers, peasants; — de loi, lawyers.

gentil, -le, nice, pretty.

gentiment, nicely.

geôlier, *m.* jailer.

gibier, *m.* game.

gîte, *m.* lodging, quarters, abode.

glandée, *f.* mast (*of acorns*).

glisser, to slip, glide, insinuate (itself), enter imperceptibly.

gonfler, to swell.

gouffre, *m.* abyss, gulf, pit.

goulu, gluttonous; *as n.* glutton.

gourmand, fond of good things (one's dinner, etc.).

goût, *m.* taste; inclination.

goûter, to taste; lunch, have a bite; *as n. m.* lunch, snack (*between the* déjeuner *and dinner*), bite.

goutte, *f.* drop.

gouverner, to govern, rule, control, manage, direct.

grâce, *f.* grace, favor; — à, thanks to; faire beaucoup de — à, to do a great favor to.

grand, grand, great, big, tall; full, etc.; de grandes pluies, heavy rains.

grandement, greatly, very much.

grand'route, *f.* highway.

grange, *f.* barn.

gratter, to scratch, scrape; — du pied, to paw.

grave, serious, grave.

gravement, seriously.

gravure, *f.* engraving, print.

gré, *m.* will, wish, liking; à son —, to one's taste, liking; savoir — à quelqu'un de, to be thankful to a person for, appreciate his (doing, etc.).

grêle, shrill, thin.

grenier, *m.* granary; loft, attic, garret.

grenouille, *f.* frog.

grief, *m.* grievance, objection, ground for dissatisfaction.

grimace, *f.* grimace, face.

grimper, to climb.

grincer, to gnash, grind, grate, creak.

gris, grey.

grive, *f.* thrush.

gronder, to scold.

gros, -se, big, stout, large, great; coarse.

grossier, -ère, coarse, gross.

grue, *f.* crane.

gué, *m.* ford; passer à —, to ford.

guère: ne ... —, scarcely, barely, hardly.

guérir, to heal, to cure; s'en —, to get over it.

guerrier, -ère, warlike; *as n.* warrior.

guetter, to watch (for), lie in wait (for).

H

habillement, *m.* clothes, dress.

habiller, to dress.

habit, *m.* coat; *plur.* clothes.

habitation, *f.* dwelling, house.

habiter, to inhabit.

habitude, *f.* habit, custom; avoir l'— de, to be accustomed to.

habituer, to accustom; s'— à, to get accustomed (used) to.

'haie, *f.* hedge.

'haillon, *m.* rag, tatter.

'haïr, to hate.

haleine, *f.* breath, breathing.

'hameau, *m.* hamlet, cluster of houses in the country.

'hangar, *m.* shed, outhouse.

'hardi, bold.

'harnais, *m.* harness, trappings, armor, accouterment.

'hasard, *m.* hazard, risk, chance.

'hasarder, to venture (on); 'hasardé, *as adj.* bold.

'hâte, *f.* haste, hurry.

'hâter, to hasten; se —, to make haste.

'haut, high, high up, lofty; loud; *as n.* top, upper part.

'hauteur, *f.* height, eminence, elevation, hill, rising ground.

hélas! alas!

'hennir, to neigh.

herbe, *f.* herb, grass.

'hérisser, to bristle; 'hérissé, bristling, thickset, covered.

héritage, *m.* inheritance.

heure, hour, time; à la bonne —! good! that's right! first rate! I am glad to hear that! de bonne —, early; sur l'—, instantly, this moment; tout à l'—, just now, a minute ago; presently; à l'— qu'il est, at this moment.

heureusement, luckily.

heureux, -se, happy, glad, fortunate.

'heurter, to knock, strike, hit; se —, to knock, collide.

hier, yesterday.

histoire, f. story.

historiette, f. little story, tale, anecdote.

hiver, m. winter.

'hola! halloo!

honnête, honest; fair; decent, well-behaved, respectable; fine.

honnêtement, honestly; properly, decently, civilly; sensibly.

honnêteté, f. honesty; respectability; civility.

'honte, f. shame, shamefacedness; disgrace.

'honteux, -se, ashamed.

'hors de, outside of, away from.

'houx, m. holly, holly tree.

humain, human, humane.

humeur, f. humor; ill temper, crossness, peevishness; avec —, testily.

humide, damp, moist, wet.

humidité, f. dampness.

I

ici, here; par —, this way, in this part of the country, (somewhere) about here, through here.

idée, f. idea, notion; changer d'—, to change one's mind.

image, f. image, picture.

immonde, foul, unclean.

importer, to import; matter, signify.

imprescriptible, imprescriptible, that cannot be impaired by claims founded on prescription.

imprimer, to impress, print; s'—, to be imprinted, be printed.

improviste: à l'—, unawares, unexpectedly, suddenly.

impunément, with impunity.

incliner, to incline, nod.

inconnu, unknown.

incroyable, incredible.

indicible, inexpressible, unspeakable.

indigne, unworthy, shameful.

indiquer, to indicate, point out, show.

indistinctement, without distinction, indiscriminately, indifferently.

indompté, untamed, unbroken.

infraction, f. infraction, infringement, violation, breach.

ingambe, nimble, brisk, active.

ingénument, ingenuously, candidly; artlessly, simply.

injure, f. insult; faire — à, to insult.

inquiet, -ète, uneasy, restless, troubled, anxious.

inquiéter, to disquiet, make anxious, give anxiety to, trouble; s'— de, to trouble about, worry about.

inquiétude, f. uneasiness, anxiety, fears.

instant, m. instant, moment.

insuffisant, insufficient, inadequate.

intéressé, self-seeking, self-interested, selfish.

intérêt, m. interest.

intérieur, m. interior, home.

interrompre, to interrupt, break off.

intitulé, entitled.

intraduisible, untranslatable.

introduire, to introduce.

inutile, useless, waste(d).

investir, to invest, clothe.

invoquer, to invoke, call upon.

irai, irons, irez, iront; irait, irions, see aller.

isolé, isolated, solitary.

ivre, drunk.

ivrogne, as n. m. drunkard.

J

jacquerie, f. insurrection accompanied by outrages.

Jacques, James.

jadis, formerly.

jaloux, -se, jealous, grudging.

jamais, ever; ne —, never.

jambe, f. leg.

japper, to yelp.

jardin, m. garden.

jardinage, m. gardening, garden stuff.

jaune, yellow.

jet, m. throw, toss, jet, puff, spurt.

jeter, to throw, cast, dash; give off.

jeun: à —, fasting.

jeune, young.

jeunesse, f. as abstract n. youth; as concrete n. young people (person, girl, etc.).

joie, f. joy, delight.

joindre, to join.

joli, pretty, good-looking, nice-looking; nice.

jouer, to play.

joueur, m. player, gambler, gamester.

joug, m. yoke.

jouir (de), to enjoy.

jouissance, f. enjoyment, delight, joy.

jour, m. day, daylight; time; au grand —, in broad daylight; plur. days, life, age, time.

journée, f. day, day's work.

joyeux, -se, joyful, merry, gay, jolly.

juger, to judge; conclude.

Juif, -ve, Jew, Jewess.

jument, f. mare.

jupe, f. skirt, petticoat.

jurer, to swear.

jusqu'à, prep. until, to, as far as, up to; — ce que, conj. phr. until.

jusqu'ici, until now, up to the present time, hitherto, so far.

juste, just, fair, right.

justement, justly; just, precisely; c'est — la chose, that's the very thing.

L

là, adv. there; as interj. there! come! eh! là-bas, down there (yonder), over there; là-dessus, on that, thereupon; là-haut, up there, up yonder; par là, that way, up there, etc.

labeur, m. labor, toil.

laborieux, -se, hard-working.

labour, m. tillage, plowing.

labourable, arable.

labourage, m. tillage, plowing.

labourer, to plow, till; work (on the farm).

laboureur, m. plowman, husbandman, farmer.

lâche, cowardly ; as n. m. coward.

lâcher, to loose(n), let go, let fly.

laid, ugly, offensive (to the eye).

laine, f. wool ; bêtes à —, sheep.

laisser, to leave ; let, allow ; — faire, to let alone, let (one) have (one's) own way ; se — aller à, to give oneself up to.

lancer, to dart, hurl, cast, throw.

lande, f. heath, moor, barren.

landier, m. andiron, firedog.

langue, f. tongue, language.

large, broad, wide.

larme, f. tear.

las, -se, tired, weary.

laver, to wash.

lecteur, m. reader.

léger, -ère, light, slight ; heedless ; à la légère, lightly, thoughtlessly.

lendemain, m. morrow, next day.

lentement, slowly.

lenteur, f. slowness.

lever, to lift, raise ; se —, to rise, get up.

lèvre, f. lip.

liaison (word much used in English), f. tie, connection ; plur. acquaintances, intimacies, intercourse.

libre, free.

lichen [k ; final vowel is not nasal], m. lichen, moss.

lien, m. bond, tie, link.

lier, to bind, tie, yoke.

lieu, m. place, scene ; au — de, instead of ; au — que, whereas, whilst.

lieue, f. league.

lièvre, m. hare.

ligne, f. line.

linge, m. linen ; washing.

liqueur, f. liquor, drink (such as brandies, liqueurs, etc.).

lire, to read.

lisière, f. border, edge, fringe, outskirts, verge.

lit, m. bed ; d'un autre —, by another marriage.

livrer, to deliver ; se —, to give oneself up ; engage oneself, commit oneself, make advances ; ne pas se —, to be reserved.

loger, to lodge ; house.

loi, f. law.

loin, far, far on (off, away) ; au —, away, in (into) the distance ; de —, from a distance.

loisir, m. leisure.

long, -ue, long ; le long de, along.

longtemps, a long time, long ; depuis —, for a long time.

longuement, at length.

longueur, f. length.

lopin, m. bit, piece, portion.

lorsque, when.

louer, to hire, engage ; praise.

louis d'or, m. louis d'or (an ancient gold coin of the value of rather less than five dollars).

loup, m. wolf.

lourd, heavy, dull, burdensome.

lucarne, f. skylight, (garret) window.

lueur, f. light ; gleam.

lugubre, lugubrious, mournful, doleful, dreary.

lumière, f. light ; plur. knowledge, intelligence, enlightenment.

lundi, m. Monday.

lune, *f.* moon; **clair de** —, moonlight.

lutte, *f.* struggle.

lutter, to struggle, strive, contend.

luxe, *m.* luxury.

M

mâchoire, *f.* jaw.

magnifique, magnificent.

mai, *m.* May.

maigre, lean, thin.

main, *f.* hand.

maintenant, now.

maintenir, to maintain; hold in hand, hold in check, restrain.

mais, but; *interj.* well! why!

maison, *f.* house, home; **à la** —, at home, home.

maître, *m.* master.

maîtresse, *f.* mistress, person having the management of.

majeur, of age.

mal, ill, badly; **être** —, to be badly off, uncomfortable.

mal, *plur.* **maux**, evil, harm, hurt; **faire du** —, to hurt, do harm.

malade, sick, ill.

maladroit, awkward, blundering, stupid.

malaise, *m.* uneasiness, discomfort, unrest.

mâle, masculine, manly, virile.

malédiction, *f.* curse.

malgré, in spite of.

malheur, *m.* misfortune; **par** —, unfortunately.

malheureux, -se, unhappy, unfortunate.

malin, -igne, mischievous, roguish.

malpropre, dirty, slovenly.

malsain, unhealthy, sickly.

maltraiter, to maltreat, treat ill.

manger, to eat (up); spend, squander.

manière, *f.* manner, way; **en** — **de**, as, as a kind of, by way of.

maniéré, affected, pretentious.

manquer, to fail in; lack, have lack of, be in want of; miss, be missing.

manteau, *m.* mantle, cloak.

marche, *f.* walk, walking, step, tread; march, progress, advance.

marché, *m.* market, bargain.

marcher, to walk.

mare, *f.* pool, pond; — **au diable**, devil's pool, haunted pool.

marécage, *m.* marsh.

marge, *f.* margin, edge.

mari, *m.* husband.

marier, to unite in wedlock; **se** —, to get married.

marmot, *m.* brat, little boy, child.

marquer, to mark; indicate, show.

matin, *m.* morning.

matinée, *f.* morning.

maudire, to curse.

mauvais, bad, evil; naughty; poor (*as to quality*).

méchant, bad, wicked, of bad character, rascally; mischief-making, mischievous; nasty, unkind, mean; naughty; teasing.

mécontent, dissatisfied.

mécontentement, *m.* discontent.

mécontenter, to dissatisfy, displease.

méfiance, *f.* distrust.

méfiant, distrustful, suspicious.

meilleur, better, best.

mêler, to mingle, mix; se — de, to be concerned in, have something to do with, try one's hand at, take a hand in, take part in, meddle with; undertake; get hold of.

même, *pron.* self; *adj.* same, very; *adv.* even; à — de, able to, in a position to, ready to; de —, *adv. phr.* likewise, in the same way, the same.

mémoire, *f.* memory.

menace, *f.* menace, threat.

menacer, to threaten.

ménage, *m.* housekeeping, house (hold), establishment; rentrer en —, to start housekeeping again, get married again.

ménagement, *m.* care, charge; consideration, kind treatment.

ménager, to husband, spare, save.

mendiant, *m.* beggar.

mener, to lead, guide, drive; take.

mentalement, mentally, inwardly.

menteur, -se, liar.

mentir, to lie, tell a story.

menu, small, little, tiny, pretty.

méprendre: se — sur, to mistake, misapprehend.

mépriser, to despise.

merci, *m.* thanks, thank you; grand —, many thanks; Dieu —! thank goodness!

mériter, to deserve, earn.

messe, *f.* mass.

mesure, *f.* measure; outre —, immoderately.

métairie, *f.* farm (*the produce of which is shared between the landlord and the tenant*); farmhouse.

métayer, *m.* farmer (*see* métairie).

mettre, to put, place; put on; include; bring; lay; se — à, to begin to; se — dans la tête, to take it into one's head, take a notion.

meuble, *m.* piece of furniture; *plur.* furniture.

meurt, *see* mourir.

Michel-Ange [k], Michael Angelo.

miel, *m.* honey.

mieux, *adv.* better, best; de son —, to the best of one's ability, as well as one can, etc.

mignon, -ne, delicate, pretty, darling, sweet, dear; *as n.* darling, dear.

milieu, *m.* middle, midst; au (beau) — de, (right) in the middle of, among, amid.

mille, *m.* thousand.

mince, thin, slender.

mine, *f.* look, mien, air; face; de bonne —, nice-looking, attractive, presentable, good-looking.

mineur, minor.

minuit, *m.* midnight.

miroir, *m.* mirror, looking-glass.

mis, *see* mettre.

misérablement, wretchedly, in pinching poverty.

misère, *f.* misery, destitution, poverty (*of a character to deserve compassion*), want, wretchedness; dans la —, reduced to beggary (want).

mit, *see* mettre.

mode, *f.* manner, fashion; mettre à la —, to bring into fashion, make fashionable.

modérément, in moderation.

mœurs, *f. plur.* customs, manners.

moine, *m.* monk.

moins, less; au —, du —, at least, at any rate; à — que, unless, except; à — de (*with infin.*), without, unless.

mois, *m.* month.

moisson, *f.* harvest.

moitié, *f.* half; être de — avec, to go halves with.

monde, *m.* world; people, family, society, set; train; servants, help, etc.; tout le —, everybody, the entire society.

monsieur, *m.* sir, gentleman.

montagne, *f.* mountain.

monter, to mount, rise, get up, ascend; ride, be on the back of.

montre, *f.* watch; show; faire — de, to show off.

montrer, to show, point to (out), reveal.

moquer: se — de, to make sport of, laugh at.

moqueur, -se, mocking, jeering; making fun, teazing, bantering.

morceau, *m.* bit, piece.

mordre, to bite.

morne, gloomy, dull, dejected.

mort, *f.* death.

mort (*see* mourir), dead.

mot, *m.* word, expression.

motte, *f.* clod, lump; — de terre, clod.

mouchoir, *m.* handkerchief.

mouiller, to wet.

mourir, to die.

mousse, *f.* moss.

mouton, *m.* sheep.

mouvement, *m.* motion, movement; activity; current; impulse.

moyen, *m.* means, expedient, way; trouver — de, to find means to, succeed in.

moyen, -ne, mean, average; moyen âge, Middle Ages.

mugissement, *m.* bellowing.

munificence, *f.* bounty.

mur, *m.* wall.

mûre, *f.* mulberry, — de buisson, blackberry.

museau, *m.* snout; (*fig., in an ill or jocular sense*) phiz, face.

N

nage, *f.* swimming; en — (*fam.*), in a bath of perspiration.

naguère, lately, but recently, erewhile.

naïf, naïve, simple, artless, primitive.

naissance, *f.* birth.

naître, to be born, arise.

naïvement, simply, innocently.

naïveté, *f.* simplicity.

nappe, *f.* cloth, tablecloth; — de neige, blanket of snow.

né (*see* naître), born.

néanmoins, nevertheless.

néant, *m.* nothingness.

neige, *f.* snow.

nenni [na-nee], not at all.

nerveux, -se, nervous; spirited; sinewy.

net, -te, clean, pure, clear; en avoir le cœur net, to remove all doubts about the matter, clear it up.

nettoyer, to clean.

neuf, -ve, new.

nez, *m.* nose.

niais, silly.

noce, *f.* wedding.

noir, black.

nom, *m.* name.

nombre, *m.* number.

nommer, to name, mention.

nonne, *f.* nun.

nostalgie, *f.* homesickness.

nourrir, to feed, support.

nourriture, *f.* food.

nouveau, nouvel, nouvelle, new, fresh, recent; de nouveau, anew, once more, freshly.

nouvellement, newly, recently.

nouvelles, *f. plur.* news.

noyer, to drown.

nu, naked; mettre à —, to lay bare.

nuit, *f.* night; nightfall; à la —, by nightfall.

nul, no, not any, none; *as pron.* no man.

nullement, not at all, by no means.

numéro, *m.* number.

O

obéir (à), to obey.

obéissance, *f.* obedience.

objecter, to object, make (the) objection.

obscurité, *f.* darkness.

observer, to observe, remark, notice.

obstinément, obstinately, stubbornly.

obstiner: s'—, to be obstinate, persist.

obtenir, to obtain, get.

occuper, to occupy, employ, engage, keep (one) thinking; occupé (de), busy, busied, attending (to); s'— de, to occupy oneself with, think about, attend to, pay attention to, look after.

œil (*plur.* yeux), *m.* eye.

œuvre, *f.* work.

offrir, to offer.

oie, *f.* goose.

oiseau, *m.* bird.

oiseux, -se, indolent, idle; trifling.

oisif, -ve, idle, unoccupied; *as n. m.* idler.

ombre, *f.* shadow, shade; dark.

on, *pron.* one, people, etc.

or, *m.* gold.

orage, *m.* storm.

oraison, *f.* prayer.

ordinaire, ordinary; à l'—, usually.

oreille, *f.* ear.

orgueil, *m.* pride.

orgueilleux, -se, proud, haughty; stately, splendid.

orienter: s'—, to take one's bearings, find one's way.

ormeau, *m.* elm.

orner, to adorn, embellish.

orphelin, orphan.

oser, to dare, venture.

osier, *m.* osier, wicker.

ôter, to take away (from), deprive of.

où, where, in which, to which, through the midst of which, etc.

oubli, *m.* forgetfulness, oblivion.

oublier, to forget.

oui-da, yes indeed.

outre, beyond ; en —, besides.

ouvert, *see* ouvrir.

ouvrage, *m.* work.

ouvrier, *m.* workman, artisan, worker.

ouvrir, to open.

P

païen, -ne, pagan, heathen.

paille, *f.* straw.

pain, *m.* bread, loaf.

paire, *f.* pair, couple, yoke (of oxen).

pâlir, to turn pale.

panier, *m.* basket.

par, by ; through, in, on, over, along, by way of, owing to, etc.

parabole, *f.* parable.

paraître, to appear, seem, look.

parce que, because.

parcourir, to run over, range through, traverse.

par-dessus, over, above, more than.

pardon, *m.* pardon ; *as exclam.* I beg your pardon ! excuse me!

pardonner, to pardon, excuse.

pareil, -le, like, similar ; such, such a.

pareillement, likewise.

parent, *m.* relative ; *plur.* parents ; relatives, people, etc.

parfait, perfect.

parfaitement, perfectly, exactly.

parfois, sometimes, occasionally, at times.

parler, to speak, talk.

parmi, among.

paroisse, *f.* parish.

parole, *f.* word.

parrain, *m.* godfather.

part, *f.* share, part, portion ; pour ma —, for my part, for myself ; à —, *adv.* aside, apart, by itself ; de la — de, from, on behalf of, of ; quelque —, somewhere.

partage, *m.* sharing, division.

parti, *m.* party ; match ; part ; decision, resolution ; prendre un —, to decide (*either to act or to submit*) ; prendre son —, to take his (her) side ; *with* de, to make up one's mind to, resign oneself to, make the best of.

particulier, particular, special, peculiar ; private ; en —, in private.

partie, *f.* part, portion ; match, game, struggle ; faire — de, belong to.

partir, to set out, depart, start, leave, go off, set off.

partout, everywhere, on all hands.

parure, *f.* dress, attire, ornament, finery.

parut, parurent ; parût, *see* paraître.

parvenir(à), to arrive (at), attain (to), succeed (in), manage to.

pas, *m.* step ; revenir sur ses —, to retrace one's steps, go back over the ground.

passant, *m.* passer-by.

passer, to pass, go (through), spend ; se —, to pass, go on, go by ; take place, happen ; se — de, to do without, dispense with.

pasteur, *m.* shepherd.

pastour, pâtour, *prov. for* pasteur ; pastoure, shepherd girl.

pâtir, to suffer; be worse off.

pâturage, *m.* pasture.

pauvre, poor.

pauvret, (poor) little fellow.

pays, *m.* country, region.

paysage, *m.* landscape, scene.

paysan, -ne, peasant.

peau, *f.* skin, hide.

péché, *m.* sin, offense.

pécheur, pécheresse, sinner.

peignant, *see* peindre.

peigner, to comb.

peindre, to paint, describe, depict.

peine, *f.* trouble, difficulty; (hard) work, labor; à —, hardly, barely, with difficulty; faire de la — à, to trouble, hurt (the feelings of), distress; ça me fait de la —, I am sorry to hear (do, etc.) it; avoir — à, find it hard to; faire — à, to hurt; inspire with contemptuous pity (with disgust).

peintre, *m.* painter.

peinture, *f.* painting, picture, portrait.

pelouse, *f.* lawn, grassplot.

pencher, to incline, bend; se —, to bend, stoop (lean, hang) over, fall forward.

pendant, during, for; — que (*conj. phr.*), while.

pénible, painful; laborious.

pensée, *f.* thought, idea, conception; venir à la — de, to occur to the mind of.

penser, to think, reflect, say to oneself; — à, to think about, of (*i.e., have one's mind occupied with*); — de, to think of (*i.e., have an opinion concerning*).

pente, *f.* declivity, inclination.

percer, to pierce, come through.

perdre, to lose; ruin; se —, to lose oneself, lose one's way; disappear.

perdrix, *f.* partridge.

permettre, to permit, allow.

permis, permitted, allowable, lawful.

perron, *m.* steps, flight of steps; en —, to form a stairway.

personnage, *m.* character, personage.

personne, *f.* person; *as pron.* anybody; (*with ne*) nobody.

pervers, perverse, depraved, wicked.

pervertir, to pervert, corrupt, deprave.

pesant, heavy; *as n. m.* weight.

peser, to weigh (down), bear heavily, be a good deal; *trans.* to weigh; consider.

petit-enfant, *m.* grandchild.

petit-fils, *m.* grandson.

peu, little; but little; few; un —, a little bit, somewhat, rather, just; — à —, little by little, by degrees.

peupler, to people.

peuplier, *m.* poplar.

peur, *f.* fright, alarm; avoir grand'—, to be very much afraid; faire — à, to frighten.

peut-être, perhaps.

peux, peut, peuvent, *see* pouvoir.

phrase, *f.* sentence, phrase.

pied, *m.* foot, footing; aller à —, to walk; à trois pieds, three-legged.

pierre, *f.* stone; Pierre, Peter.

pierreux, -se, stony.

pinson, *m.* finch.

pinte, *f.* pint.

piquer, to prick, goad.

piqûre, *f.* prick, sting, scratch.

pire, *adj.;* pis, *adv.* worse, worst.

piteux, -se, pitiful, piteous, pitiable.

pitié, *f.* pity; faire —, to inspire pity (almost contempt), be pitiful (*i.e., deserve contempt*).

place, *f.* place, room, spot, ground; fortress; prendre—, to sit down.

plaie, *f.* sore, wound; plague.

plaindre, to pity; se —, to complain, grumble, find fault.

plaire(à), to please; A Dieu ne plaise! God forbid! qui lui plaît, whom he (she) is fond of.

plaisanter, to joke, banter.

plaisanterie, *f.* jest, witticism, joke.

plaisez; plaise, *see* plaire.

plaisir, *m.* pleasure; ça me fera plaisir, I shall enjoy (it), I shall be glad.

plancher, *m.* floor.

planer, to hover, soar, brood.

planter, to plant; set up, put up.

plat, flat, insipid.

plein, full.

pleurer, to weep (for), mourn (for), cry.

pluie, *f.* rain, shower.

plumer, to pluck, pick.

plupart, *f.* most (part), majority.

plus, more; ne —, no longer, no more; non — (*after a negative*), either; de — en —, more and more.

plusieurs, several.

plutôt, rather.

poche, *f.* pocket.

poésie, *f.* poetry, poem.

poids, *m.* weight.

poignée, *f.* handful.

poignet, *m.* wrist.

point, *m.* stitch, point, speck; — du jour, daybreak; à —, at the right time, in the nick of time, to a turn; à ce point-là, to that degree, as much as that; ne —, not (at all) (*etym.* not a point, *stronger negation than* ne pas, not a step).

pointe, *f.* point, une petite — de vin, a glass or two of wine.

poire, *f.* pear.

poitrine, *f.* chest, breast.

poliment, politely.

pomme, *f.* apple; — de terre, potato.

pommeau, *m.* pommel.

porc, *m.* hog, pig.

porcher, *m.* swineherd.

porte, *f.* door, gate.

porté, inclined, ready, willing; — pour, fond of.

portée, *f.* reach, range; — de fusil, gunshot.

porter, to carry, bear; bring; take; wear; se — (bien, etc.), to be (well, etc.).

posséder, to possess.

possible, possible; *as n.* utmost, best.

poudre, *f.* powder; — à canon, gunpowder.

poumonique, *antiq. for* pulmonique, consumptive.

pour, for, in order to, to, to benefit, at, etc.

pourquoi, why.

pourra, pourrons; pourrais, pourrait, *see* pouvoir.

pourtant, however, nevertheless, yet, after all, though; now, well.

pourvoir, to provide, supply.

pourvu que, provided that.

pousser, to push, shove; urge, prompt, incline; guide, drive.

pouvoir, to be able, "can," "may"; n'en — plus, to be exhausted, be knocked up, be worn out; se —, to be possible, "can" be.

prairie, *f.* meadow.

pré, *m.* meadow.

précaution, *f.* precaution; avec —, cautiously.

précipiter, to cast down; se —, to throw oneself headlong, rush (down).

précisément, precisely, to be specific.

prédilection, *f.* preference, partiality.

préjugé, *m.* prejudice.

prendre, to take, catch, acquire, get, assume, pick; se — à, to begin to; s'y —, to set about it, go to work at (about) it, begin.

près de, close to, near; about to; de près, close, near by.

présent : à —, now, just now.

présenter, to introduce.

presque, almost.

pressé, in a hurry, hurried.

presser, to press, urge; se —, to hasten, hurry.

prêt, ready.

prétendant, *m.* suitor.

prétendre, to pretend, claim, lay claim to.

prétendu, *m* intended, suitor.

preuve, *f.* proof, evidence; à — que, in proof of which, since; faire — de, to give proof of, show.

prévoir, to foresee, anticipate, provide for.

prier, to pray (to), beseech, ask, invite.

prière, *f.* prayer.

pris, *see* prendre.

prise, *f.* hold.

prit; prît, *see* prendre.

priver, to deprive, separate; se —, to deprive oneself, do without.

prix, *m.* price; wages; prize.

procès, *m.* lawsuit.

prochain, next; near, approaching; *as n. m.* neighbor, fellow-being.

produire, to produce.

profit, *m.* profit, advantage.

profiter, to profit, thrive.

profond, deep, profound.

progéniture, *f.* progeny, offspring.

proie, *f.* prey; en — à, a prey to, haunted by.

projet, *m.* project, plan.

promener, to take about, lead about; se —, to walk; take a trip (drive, etc.).

promettre, to promise.

prononcer, to pronounce, utter; se —, to express an opinion.

propos, *m.* intention, resolve; subject (of conversation), talk; les —, gossip, talk; à — de, on the subject of, with regard to, about, concerning.

proposer, to propose; se —, to purpose.

propre, proper, own ; clean, neat.
propriété, *f.* property.
protéger, to protect, shield, shelter, favor.
prouver, to prove, show.
provenir, to proceed, come.
provision, *f.* supply, stock, store.
provoquer, to provoke, call for.
prunelle, *f.* sloe, wild plum.
pu, *see* pouvoir.
puis, then, afterwards.
puiser, to draw ; derive.
puisque, since, seeing that.
puissance, *f.* power.
puissant, powerful, mighty.
puisse, puissiez, *see* pouvoir.
punir, to punish.
put ; pût, pussent, *see* pouvoir.

Q

quadrige [kwa], *m.* team of four horses ; (*properly speaking*) a car drawn by four horses harnessed abreast.
quand, when ; — même, even if, although.
quant à, as to, as for.
quart, *m.* quarter.
quasi, (*fam.*) almost, nearly, you may say.
quatrain [ka], *m.* quatrain, stanza of four lines.
que, *adv.* than ; as, since, because ; when, until, whether, etc.
que, *pron.* whom, what.
quel, -le, which, what ; — que, whichever, whoever.
quelconque, (any) whatever, any.
quelque, some, any ; *plur.* some, any, a few.

quelque . . . que, however, whatever.
quelqu'un, some one, any one ; quelques-uns, some, a few.
quémandeur, -euse, given to begging, a beggar.
queue, *f.* tail.
quitter, to quit, leave, part from ; se —, to part.
quoi, what ; — que, whatever.
quoique, although.

R

rabattre, to beat down, turn down, cut down.
raboteux, -se, rough, rugged.
racine, *f.* root.
raconter, to relate, tell (about), tell the story of, describe.
raide, stiff, steep.
raideur, *f.* stiffness, steepness.
railler, to jeer, jest, scoff.
raison, *f.* reason, right, (good, common, sound) sense, judgment ; argument, ground ; avoir —, to be right ; donner — à, to decide in one's favor.
raisonnement, *m.* reasoning, power of reasoning, intelligence.
raisonner, to reason, argue.
raisonneur, *m.* reasoner, arguer ; talker, person that gives answers ; *as adj.* talkative.
rallumer, to light again ; se —, to light (start, blaze) up again.
ramasser, to pick up, gather (up).
ramée, *f.* green boughs, green arbor.
ramener, to bring back, take back.

ramper, to creep, crawl, spread (over a surface).

rang, *m.* rank, row; sur les rangs, on the lists.

rangé, steady, staid, sober.

rangée, *f.* row.

ranimer, to revive, stir up.

rapiécer, to piece, patch.

rappeler, to call back, recall, remind of.

rapport, *m.* connection, relation; correspondence, harmony; en — avec, in keeping with.

rapporter, to bring back; relate.

rapprocher, to bring near; se —, to draw near(er).

rare, uncommon, scarce.

rassasier, to sate, satisfy.

rattraper, to overtake, catch up to, catch.

ravir, to snatch (away), steal, capture; delight.

ravissement, *m.* rapture, ecstacy.

rebelle, rebellious, stubborn.

rebondi, plump, rotund, portly.

rebuter, to repulse, repel, reject, give an unfriendly reception to; se —, to be discouraged, be disheartened, lose heart, despond.

recevoir, to receive, give a reception to.

réchauffer, to warm again, warm up, warm; se —, to warm oneself, get warmed.

recherche, *f.* search, quest; studied elegance.

rechercher, to seek (after), look for, ask for; court, pay attentions to.

récit, *m.* story.

réciter, to recite, say.

réclamer, to claim, demand, call for.

recommander, to recommend, urge, enjoin, charge, bid, tell, ask.

reconnaissance, *f.* gratitude.

reconnaissant, *see* reconnaître.

reconnaître, to recognize.

recoucher, to put to bed again, put down again.

récrier : se —, to cry out, exclaim, express one's surprise, admiration, etc. (with loud cries); protest.

rectiligne, rectilinear, straight.

recueillir, to collect, receive, take in.

reculer, to put off; go back, retreat; se —, to back out (away, etc.).

redire, to repeat.

redouter, to fear, dread.

réduire, to reduce.

réel, -le, real, actual.

réellement, really.

réfléchir, to reflect, think.

reflet, *m.* reflection, reflex.

refléter, to reflect (light); se —, to be reflected.

refus, *m.* refusal.

refuser, to decline, refuse.

regard, *m.* look, glance, gaze.

regarder, to look (at), watch, regard; concern; consider; — à, to pay attention to, mind, heed.

règle, *f.* rule.

régler, to settle; set.

rein, *m.* kidney; *plur.* loins.

réjoui, delighted, joyful.

réjouir, to rejoice; **se — de**, to enjoy, rejoice over.

reléguer, to relegate; banish.

relever, to lift up, raise.

remarier, to unite again in marriage; **se —**, to get married again.

remède, *m.* remedy; **porter — à**, to cure.

remener, to lead (bring, take) back.

remercier, to thank; dismiss, send away (*an employee*).

remettre, to put again, put back, give back, restore; remit, deliver; **se —**, to recover; **se — en route**, to resume one's journey.

remonter, to remount, ascend once more.

remplacer, to replace, take the place of.

remplir, to fill (up).

remuer, to move, stir; **se —**, to bestir oneself.

rencontre, *f.* meeting, encounter.

rencontrer, to meet, come across, encounter, come to; **se —**, to be encountered, occur; turn up, come along.

rendormir, to put to sleep again; **se —**, to go to sleep again.

rendre, to return, restore; render, make, do; express, etc.; **se —**, to surrender; go; **— service**, to be useful, help, do a good turn; **— témoignage**, to bear testimony.

rêne, *f.* rein.

rengorger : se —, to assume airs of importance (*by throwing one's chest out, one's head back*).

renier, to deny, disown.

renommée, *f.* renown, reputation, name.

renoncement, *m.* renunciation.

renoncer (à), to renounce, give up.

renseignement, *m.* indication, direction, information.

renseigner, to inform, instruct, give information to.

rentier, -ère, bondholder; person who lives on his money, person of (independent) means.

rentrer, to come back, go back, go in again, come home, come in, etc.; take in, keep back.

renvoyer, to send back again; dismiss, send away, send about one's business.

réparer, to repair, retrieve, make good.

repartir, to set (start) off again.

repas, *m.* repast, meal.

repasser, to pass again, go along again.

repentir : se —, to repent, regret.

répéter, to repeat.

replonger, to plunge again; **se —**, to plunge again, throw oneself once more.

répondre (à), to answer, reply; **— de**, to answer for, be responsible for, guarantee.

réponse, *f.* answer.

repos, *m.* rest; **en —**, at rest, at peace, still; **n'avoir pas la tête en —**, to be always anxious, have no peace.

repousser, to repulse, push away.

reprendre, to take back, recover; fetch (again); begin again, resume; reply; **— femme**, to take another wife.

reproche, *m.* reproach; faire — à quelqu'un de, to reproach (blame) one with (for).

répugnance, *f.* distaste, dislike.

réputé, considered, thought.

résister (à), to resist, hold out (against).

résolument, resolutely.

résonner, to resound, ring; faire —, to clink.

resplendir, to shine brightly.

ressortir, to come out (again); appear; faire —, to bring out.

reste, *m.* remainder.

rester, to remain, stay.

résultat, *m.* result, outcome.

retenir, to retain; restrain, keep back.

retirer, to withdraw, take back, get out; se —, to retire, withdraw, back away, back out.

retomber, to fall back, relapse; fall (down).

retour, *m.* return; être de —, to have returned, be back (again).

retourner, to return, go back, turn back; de quoi il retourne, what is going on, what it is about, how the matter stands; se —, to turn round; s'en —, to go back (home).

retrancher, to retrench; intrench; se —, to intrench oneself, screen oneself.

retrouver, to find (again), recover; se —, to find oneself back, be back again, be (oneself) once more; find one's way (again).

réunir, to reunite, collect, gather together, group.

réussir, to succeed.

rêve, *m.* dream.

réveiller, to awake, wake up, arouse; se —, to wake up.

revenir, to come back, return; be due, come (*of money, profits, etc.*); — de, to get over; — sur ses pas, to retrace one's steps.

rêver, to dream, muse.

revient; revint, revinrent; reviendras, reviendrez; revienne, *see* revenir.

revoir, to see again.

révolter, to be revolting to; se —, to rebel, refuse obedience.

revu, *see* revoir.

rhabiller, to dress again.

rhume, *m.* cold.

riait, *see* rire.

riant (*see* rire), laughing, smiling.

richesse, *f.* riches, wealth.

rire, to laugh; — aux éclats, to burst into laughter.

robe, *f.* dress; coat (*of animals*).

robuste, strong, vigorous.

rôdeur, *m.* prowler.

rôle, *m.* part, character.

roman, *m.* romance, novel, story.

rompre, to break, snap; break in on, interrupt.

ronde: à la —, round about, around.

ronger, to gnaw, champ.

rose, pink.

rouer, to break on the wheel; — de coups, to thrash soundly.

rouge, red.

rougir, to redden, blush.

rouler, to roll (about, out); revolve, be going on (*in one's mind*); wrap, roll up; se —, to roll over.

route, *f.* route, road, highway; journey; en —, on the way (road); se mettre en —, to start (on one's journey).

ruade, *f.* kick (*of horses, etc.*).

ruche, *f.* hive.

rude, rude, rough, boisterous; severe, hard; great, famous, mighty, powerful, etc.

rudement, rudely, roughly.

ruelle, *f.* lane; space between bed and wall.

rusé, artful, cunning, crafty, sly.

rustique, rural, country (*as adj.*).

rustre, *m.* boor, lout.

S

sable, *m.* sand, gravel.

sac, *m.* sack, bag.

saccadé, jerky, abrupt.

sachez; sache, *see* savoir.

sage, wise, sensible; (*of children*) good.

sagement, wisely, discreetly, sensibly, prudently.

sain, healthy, wholesome, sound.

saint, holy, sacred.

sais, *see* savoir.

saison, *f.* season.

sait, *see* savoir.

salut, *m.* salvation.

salutaire, salutary, wholesome.

samedi, *m.* Saturday.

sang, *m.* blood.

sangle, *f.* strap, girth.

sangloter, to sob.

santé, *f.* health; d'une bonne —, healthy.

satisfaire, to satisfy.

sauf, *prep.* save, except; subject to.

saura, sauras, saurez; saurais, *see* savoir.

sauter, to leap, jump, hop, bound, flutter (*of a heart*), give a start.

sauvage, savage, wild.

sauver, to save; se —, to escape, run off, run away, scamper off.

savoir, to know, know how, be aware; succeed, be able; — gré de, to be grateful for, appreciate.

sceau, *m.* seal.

scélérat, *m.* scoundrel, villain.

sec, sèche, dry.

sécher, to dry.

secouer, to shake.

secousse, *f.* shake, shock, jerk.

séculaire, aged, ancestral, venerable.

Seigneur, *m.* Lord.

sein, *m.* bosom, womb, breast; du — de, from (out of) the midst of; au — de, in the midst of.

séjour, *m.* sojourn, stay, abode.

selle, *f.* saddle.

selon, according to.

semailles, *f.* (*generally used in plur.*) sowing; seedtime.

semaine, *f.* week.

sembler, to seem.

semence, *f.* seed; sowing.

semer, to sow, scatter; sprinkle, dot over.

sens, *m.* sense.

sensible, sensitive, sensible, touched; — aux douleurs, pitiful of the sorrows.

sentiment, *m.* feeling, sensibility, emotion, sentiment, sensation.

sentir, to feel; smell (of); suggest, indicate by one's appearance.

seoir, to become, fit.

séparer, to separate, part; se — (de), to part (from).

série, *f.* series.

serpent, *m.* snake.

serrer, to press, grasp; wrap.

servir, to serve, wait on, tend; be of use; — de, to serve as; se — de, to make use of, use.

seuil, *m.* threshold.

seul, alone, single, only.

seulement, only, just, even.

si, if.

si, so; yes (*in reply to a negative statement*); — fait, to be sure (I do); oh yes, I am.

siècle, *m.* century; age, time.

siéraient, *see* seoir.

siffler, to whistle.

signalement, *m.* description.

signe, *m.* sign; en — de, as a mark of, by way of.

sillon, *m.* furrow.

simulacre, *m.* image, phantom.

simultanément, simultaneously.

singulier, singular, queer, strange.

sinon, if not, otherwise.

soc, *m.* plowshare.

sœur, *f.* sister.

soie, *f.* silk.

soif, *f.* thirst; avoir —, to be thirsty.

soigner, to take care of, look after; mal soigné, neglected.

soi-même, oneself.

soin, *m.* care, attention; avoir —, to take care; avec —, carefully.

soir, *m.* evening.

soit . . . soit, either . . . or.

sol, *m.* soil, ground.

soldat, *m.* soldier.

soleil, *m.* sun.

solennel, -le, solemn.

solennité, *f.* solemnity; ceremony performed with religious reverence.

sollicitude, *f.* anxiety, concern.

sombre, dark.

somme, *m.* nap.

sommeil, *m.* sleep.

son, *m.* sound.

sonder, to sound, examine, probe, try.

songer, to dream, think, reflect, — à, to think of; want to, intend to.

sorcier, -ière, wizard, witch.

sort, *m.* fate, lot, destiny, spell.

sorte, *f.* sort, kind.

sortie, *f.* coming out; à la — de, on coming out of.

sortir, *trans.* to take out; *intrans.* to come out, go out, etc.; — de, to depart from, lay aside.

sot, foolish, silly; *as n.* a fool.

sottise, *f.* silliness, folly, foolishness, nonsense.

sou, *m.* cent, copper, penny (*Amer.*).

souche, *f.* stump, log.

souci, *m.* care, anxiety.

soucier: se — de, to care for (about), relish; mind.

soucieux, -se, anxious, of an anxious disposition, full of care.

souffert, *see* souffrir.

souffler, to blow, breathe.

soufflet, *m.* bellows.

souffrance, *f.* suffering.

souffrir, to suffer.

souhait, *m.* wish, desire.

souhaiter, to wish, like.

soulever, to lift, raise (up); se —, to sit up.

soulier, *m.* shoe.

souper, to sup, take supper, have supper.

souper, *m.* supper.

soupir, *m.* sigh.

soupirant, *m.* admirer, suitor.

soupirer, to sigh; be in love.

souple, supple, lithe.

sourd, deaf; dull.

sourire, to smile; please, delight, attract.

sourire *or* souris, *m.* smile.

soustraire, to remove, withdraw, deliver; se — à, to withdraw from, escape from.

soutenir, to support, sustain, hold (up), keep up, maintain, bear.

soutien, *m.* support, prop.

souvenir: se — (de), to remember.

souvenir, *m.* memory, souvenir.

souvent, often, frequently.

souverain, *m.* sovereign.

squelette, *m.* skeleton.

stoïcien, -ne, stoic.

su, *see* savoir.

suaire, *m.* winding sheet, shroud.

suave, sweet, soft, delicate.

subir, to undergo, endure, submit to, be subjected to.

succession, *f.* succession, series; inheritance.

sueur, *f.* sweat, perspiration.

suffire, to suffice, be enough.

suite, *f.* following, retinue, train; conséquence; **tout de** —, at once.

suivre, to follow, pursue.

sujet, *m.* subject; person, fellow; bon —, fine woman, steady fellow, etc.

superbe, superb, splendid; proud (*obsolescent meaning*).

sûr, sure, certain; bien —, for sure; à coup —, certainly.

sur, on, upon, over, concerning, down, with regard to, about, at, etc.

surcharger, to overload, give one more work than one can do.

surnuméraire, supernumerary.

surprendre, to surprise.

surtout, especially, above all.

surveillance, *f.* supervision, looking after, care.

sut, *see* savoir.

syllabe, *f.* syllable.

T

tableau, *m.* picture, painting.

tablier, *m.* apron.

tâche, *f.* task.

tâcher, to try, endeavor.

taille, *f.* cut; stature, waist; *plur.* coppice, small growth which comes up where timber has been felled.

taillis, *m.* underwood, coppice wood.

taire, to pass over in silence; faire —, to silence; se —, to be silent.

tandis que, while, whilst.

tant, so much, so many; — que, as long as, while.

tante, *f.* aunt.

tantôt, soon, presently, shortly, in a little while; just now, a little while ago; — ... —, at times ... at other times.

taper, to tap, pat, slap, hit, strike, etc.

tard, late; **plus** —, afterwards.

tarder, to be late, be a long time, delay.

tâter, to feel.

tâtons: **à** —, (by) feeling one's way, feeling about, groping.

taureau, *m.* bull.

taxer, to tax; charge, accuse.

teint, *m.* complexion, color.

tel, -le, such.

tellement, in such a manner; to such a degree, so (much).

témoignage, *m.* testimony.

témoin, *m.* witness.

temps, *m.* time; day; weather.

tendre, to stretch; extend, hold out.

tendre, tender, soft, affectionate.

tendresse, *f.* tenderness, affection.

tenez (*see* **tenir**), look! here! well! etc.

tenir, to hold, keep; take; — **table,** to entertain; — **à,** to be attached to, be fond of, like, care for, want (to), insist on; **en** — **pour,** to be smitten with, be set on; **se** —, to stand; remain, keep; **se** — **de,** to refrain from, help (doing); **se** — **en repos,** to stay still; **s'en** — **à,** to stand by, stick to, keep to.

tentation, *f.* temptation.

tenter, to attempt, try.

tenu, *see* **tenir.**

terme, *m.* term, end, limit.

terrain, *m.* ground, field; track.

terrasser, to throw down, knock down, "lay out."

terre, *f.* earth, land, ground, soil; **des terres,** a farm; **par** —, on the ground; **à** —! get down!

terrible, terrible, dreadful; (*of children*) dreadfully hard to manage, wild, troublesome. *The* enfant terrible *is not necessarily a naughty child. It is one who is overflowing with life, or who puts parents in embarrassing situations.*

tête, *f.* head; intelligence, brains.

têteau (*prov.; the regular French word is* **têtard**), pollard.

tiède, lukewarm, tepid, mild.

tiendrai, tiendras; tiendrais, tiendrait; tiens; tienne, tiennent, *see* **tenir.**

tiens (*see* **tenir**), hold! see (here)! look here (there)! I say! I tell you! come! etc.

tige, *f.* stalk, trunk.

timon, *m.* pole, shaft.

tint, *see* **tenir.**

tirer, to draw, pull, extract; get; shoot.

titre, *m.* title.

toilette, *f.* toilet, dress; **sans** —, without dressing.

toiser, to measure, scan, eye, look over.

tombe, *f.* tombstone, tomb.

tomber, to fall (down); **faire** —, to throw (down, over).

ton, *m.* tone, sound.

tonalité, *f.* tonality, property (of a tone).

tort, *m.* wrong ; avoir —, to be wrong ; donner — à, to decide against.

tôt, soon, shortly ; au plus —, as soon as you can.

touchant, touching, concerning, about, of.

toucheur, *m.* toucher, goader, driver.

touffe, *f.* tuft, cluster.

toujours, always, continually ; still.

tour, *m.* turn, circuit ; faire le — de, to go around.

tourmenter, to torment, worry, trouble.

tourner, to turn (round), keep going round, revolve, wander around.

tournure, *f.* turn, shape ; direction.

tout, *adj.* every, all, any ; *as adv.* quite ; *as n.* everything, anything, all purposes, whole ; — de suite, at once ; — à fait, quite, entirely, completely, just ; tous (les) deux, both.

trace, *f.* trace, track.

tracer, to trace, mark, draw.

train, *m.* pace, rate ; train, procession ; en — de, in the act of, occupied in.

traîner, to draw, drag, trail (along).

trait, *m.* trait, feature.

traiter, to treat ; — de, to treat as, call.

tranchant, *m.* edge ; — de charrue, plowshare.

tranquille, tranquil, quiet, easy in mind, without any anxiety, free from worry (fear, etc.), in peace ; laisser —, to leave alone, not bother (one) about.

tranquillement, quietly.

tranquillité, *f.* quiet, freedom from anxiety (care).

transmettre, to transmit.

trapu, squat, thickset.

traquer, to drive (game), hunt out, press hard.

travail, *m.* labor, work, toil ; task.

travailler, to labor, work, toil.

travailleur, *m.* laborer, worker.

travers : à —, through, across.

traverser, to traverse, cross, go through.

trembler, to tremble ; trill, shake, quaver.

trentaine (*used where strict numerical reckoning is not required*), *f.* thirty, about (perhaps, some) thirty.

trésor, *m.* treasure.

trinquer, to drink after clinking glasses, hobnob.

triste, sad, mournful, gloomy, downhearted, low-spirited.

tristement, sadly.

tristesse, *f.* sadness, sorrow, mournfulness, gloom.

tromper, to deceive ; se —, to make a mistake, be mistaken, blunder, go astray.

trompeur, deceitful, delusive.

tronc, *m.* trunk.

trop, too, too much, too many ; quite, altogether, very well ; trop *is used colloquially with little more meaning than* bien *or* beaucoup ; de — (*a French expression so frequently used in*

English that it is hardly necessary to translate it. In fact we have no exact equivalent for it), in excess, superfluous, in the way; **par —**, over much.

troubler, to disturb, upset, embarrass, disquiet, trouble.

troupeau, *m.* flock, herd.

trouver, to find; think; get; **aller — quelqu'un**, to go and see, seek one out, look one up; **se —**, to find (consider) oneself; be, happen (to be); turn out, turn up.

tuer, to kill, slay.

tue-tête : à —, with all one's might, as loud as one can bawl.

tutoyer, to thee-and-thou, to address familiarly.

U

uni, smooth, even, level.

unique, only, sole.

unir, to unite, combine.

usage, *m.* usage, custom; use, wear.

user, to wear out.

utile, useful, profitable.

utilement, usefully, profitably.

V

va, *see* **aller**.

vache, *f.* cow.

vaguement, vaguely.

vaincre, to conquer, overcome, vanquish.

vais, *see* **aller**.

vaisselle, *f.* dishes.

valet, *m.* servant; **— de charrue**, plowboy.

valeur, *f.* value, worth.

valoir, to be worth; **— mieux**, to be better.

vapeur, *f.* steam, mist, cloud.

vas, *see* **aller**.

vase, *f.* mud.

vaseux, -se, muddy.

vaux, vaut; vaudra, *see* **valoir**.

vécu, *see* **vivre**.

veille, *f.* watch; eve, evening before.

veillée, *f.* evening (*spent in watching, work, story-telling, etc.*).

veiller (à), to watch (over), keep watch (over).

veine, *f.* vein, streak, strip.

vendre, to sell.

venir, to come; **— à**, to come to, happen to, turn out to; **— à la pensée de**, to occur to; **— de** (*with infin.*), to have just.

vent, *m.* wind.

vente, *f.* sale.

ventre, *m.* belly, womb.

venu, *see* **venir**.

verger, *m.* orchard.

véritable, true, real, sincere, genuine.

vérité, *f.* truth.

vermeil, -le, vermilion, ruddy, red-faced.

verra; verrais, *see* **voir**.

verre, *m.* glass.

verrons, verrez; verriez, *see* **voir**.

vers, *m.* verse, line.

vers, *prep.* towards, in the direction of; about; to; on, etc.

verser, to pour (down), bestow.

vert, green.

vertu, *f.* virtue, good character; power.

vêtement, *m.* garment; *plur.* clothes, clothing, dress.

vêtir, to clothe, dress.

veuf, -ve, widowed; *as n.* widower, widow.

veuille(z) (*see* **vouloir**), be so good as to, kindly, graciously.

veut, veulent, *see* **vouloir.**

veuvage, *m.* widowhood; loss of one's wife.

veux, *see* **vouloir.**

viande, *f.* meat; (*antiq.*) viand.

vide, empty, vacant.

vider, to empty.

vie, *f.* life; livelihood, living; **en —,** alive.

vieillard, *m.* old man.

vieillir, to grow old.

viens, vient, viennent; vint; viendrai, viendras, viendra, viendrez; viendrais, viendrait, *see* **venir.**

vieux, vieil, -le, old; *as n.* old man, old woman; **ma vieille,** my poor old wife.

vif, -ve, lively, quick, keen, active.

vigne, *f.* vine, vineyard.

vigoureux, -se, vigorous, strong; lusty, bold.

vigueur, *f.* vigor, strength.

vilain, -e, ugly, horrid, hateful, nasty.

ville, *f.* town.

vin, *m.* wine.

visage, *m.* face, countenance.

vis-à-vis, opposite.

vite, swift, quick; *adv.* quickly, fast; **au plus —,** as fast as possible, with the utmost expedition.

vivement, quickly, earnestly.

vivre, to live.

voici, here is, here are; this is.

voilà, there is, there are; that is.

voiler, to veil, cover, cloud over, overcast.

voisin, neighboring, near; **— de,** beside; *as n.* neighbor.

voisinage, *m.* neighborhood.

voir, to see, look; look at.

voix, *f.* voice.

voler, to fly.

volonté, *f.* will, wish, (own) inclination, determination; *pl.* caprices, whims; **faire sa —,** give a person his (her) own way, do as he wishes.

volontiers, willingly.

vorace, greedy; *as n.* glutton.

vouloir, to be willing, wish, want, desire, will, mean, intend, be determined, insist on, try, like; **Dieu veuille!** God grant! **en — à,** to blame, be angry with, bear a grudge against.

voyage, *m.* journey, trip.

voyager, to travel.

voyageur, -se, traveler.

voyons! come! see here! look here!

vrai, true, genuine, real; *as interj.* 'pon my word, truly, really.

vraiment, truly, really.

vraisemblable, likely, probable.

vu que, seeing that, since.

vue, *f.* sight, view, purpose; **en —,** in view, in mind.

Y

y, *adv.* there; *pron.* in it, in them, of it, about it.

yeux, *plur. of* œil.